日伊ハーフの娘が
教えてくれた
人生を変える思考

イタリアの子供は「宝物」と呼ばれて育つ

ファストロ滋子

プロローグ イタリアとの出会い

皆さんは「イタリア」というと、どんなイメージをお持ちでしょうか?

「陽気で明るくて歌好き」なイメージの方もいれば、「いい加減で適当、時間にルーズ」なんてイメージの方もいるでしょう。中には「勤勉で真面目、仕事熱心で職人気質」というイメージをお持ちの方もいるかもしれません。

イタリア人と結婚して、長年身近に彼らと接してきた私から見ると、イタリア人に共通しているのは「人生を楽しむ」「今を楽しく生きる」という精神のような気がします。もちろん一概には言えませんが、イタリア人特有の〝イタリア人気質〟のようなものがあるように思います。

ここで私の家族を紹介させていただきます。

東京・神楽坂にある北イタリア料理『リストランテ・ステファノ』のオーナーシェフを務める主人ステファノ、イタリアの国立音楽院のオペラ科に留学中の娘サラ(彩来)、アメリカの大学の日本校に通う弟レイ(礼)、そして歯科医師でもあり、現在は分子栄養療法とエネルギー情報医学のクリニックに携わる私の4人家族。

そんな私たち夫婦と子供たち、特にイタリアに留学中の娘を通して見たイタリア人ならではの特性、イタリアというお国柄、日本ではあまり知られていないイタリアの〝素顔〟をご紹介したいと思います。

そして、コロナ禍で大きな影を落とした日本にとって「イタリア的思考」が、希望を与えてくれるヒントになるのではないかと思いペンを取りました。

その前に自己紹介を兼ねて、私と主人がどうやって知り合ったのか、私とイタリアとの出会いをお話しさせていただきます。

あれは今から25年前の１９９８年、ロンドンでのことでした――。

イタリア人の彼と出会ったのは、私がイギリスに住むようになってから1年半ほど経った頃。

「日本語教えてください」

当時通っていたロンドンの語学学校でクラス編成があり、同じクラスになった彼がある日私に声をかけてきました。

「こんなのボク読んでるんです」

そう言って彼は手に持っている本を見せてくれました。

『漢字の成り立ち』

それは象形文字とか指事文字とか会意文字とか、漢字の成り立ちについて、日本人の私でも知らないような興味深いことが書かれている本でした。

彼の名前は〝ファストロ・ステファノ〟。

私より4つ年下の彼は、出会ったときはまだ25才ぐらいで、すでに30才手前だった私から見ると〝若い男の子〟という感じでした。

「ずっと〝日本に行きたい〟と思っています」

子供の頃から柔道を習っていた彼は、日本の武士道、サムライ精神に憧れ、日本文化に惹かれていました。

イタリアの料理学校を卒業したと同時に「よし！　日本に行くぞ」と思ったそうですが、「英語も話せないし、そもそも日本語もできないのに日本に行ってもコミュニケーションが取れないでしょ」と親友に言われて思いとどまり、イタリアで何年か仕事した後、「日本語ができなくても英語が話せれば日本に行ってもどうにかなる」とアドバイスされてロンドンへ。当時ロンドンのレストランに勤めていた彼は、ランチが終わってディナーまでの2～3時間の空き時間を利用して英語を学びに語学学校に通っていたのです。

一方私はといえば、語学学校へはイギリスに住むためのビザが必要で通っていたこともあって、あまり熱心には通っていませんでした。彼とも声をかけられて以来顔を合わせる

PROLOGO

– L'INCONTRO CON l'ITALIA –

機会はほとんどなく、しばらく会わないうちにすっかり忘れていました。

当時ロンドンで住んでいたのは外国人が数人住んでいたフラット（アパート）で、オーナーであるイギリス人のビルさんが部屋を貸していました。

ある日そのフラット仲間の一人、イタリア人のキアラが「パーティーしよう」と私に持ちかけてきました。イタリアでは友達を家に招いてパーティーするのは日常茶飯事でよくあることです。

「じゃあ誰がお料理する？」

私もキアラも料理は得意ではありません。

「あ、私いい人知ってる」

そこで思い出したのが彼でした。

「ステファノさん、今度パーティーのお料理作りに来てくれないかな？」

これが私と彼の始まりです。パーティーの料理を作ってもらったことがきっかけとなり、ときどき会うようになったのです。

彼と再開したとき、すでに私は日本への帰国が決まっていました。実家は岩手県の三陸海岸にある山田町（その後、東日本大震災で実家はなくなりました）。イタリアとは縁も所縁もない場所に帰るのですから普通ならそれで彼とも終わりでした。

帰国して1年ほど経った頃、ロンドンにいる彼から電話がかかってきました。

「日本に行きます！」

小さい頃からの夢を彼はまだ諦めていなかったのです。日本に来て働くという彼は、東京の牛込神楽坂にあるイタリアンの人気店『リストランテ・カルミネ』に就職するといいます。ちょうどバブルの頃、本場のイタリアンを日本に広めたイタリア人オーナーシェフのカルミネ・コッツォリーノさんのレストランです。

「そのお店に履歴書を送るから電話して欲しい」

彼は私にそう頼みました。

その電話がきっかけで、彼の来日のときにいろいろお手伝いすることになり、結婚を意識するようになりました。


当時歯医者だった私は、普通に考えるとお医者さんか歯医者さんと結婚するパターンだったと思います。父も医者だったこともあって、私自身それが当たり前だと思っていました。

でも彼は料理人で、しかもイタリア人。育った環境も違うし、言葉も違うし、職業だって全然違う。

「そんなのでやっていけるのかな？」

PROLOGO

– L'INCONTRO CON l'ITALIA –

彼は東京。私は岩手。日本に来てレストランに勤めていた彼と遠距離で連絡を取り合ってはいたものの、結婚となると話が違います。

「イタリア人の彼と本当に結婚してもいいの？」

結婚に迷っていた当時、私には「千葉県にある歯科クリニックに来ないか？」という誘いがあり、どうしようか迷っていたのです。そのとき私は盛岡から車で40分ほどのところにある歯科クリニックに勤めていました。

あれは1月の雪がちらつく日——クリニックからの帰り道、何気なくつけていた車のラジオから流れてきた曲に、ふと耳をとめました。

♪このままふたりで夢をそろえて何気なく暮らさないか♪

CHAGE and ASKAの『SAY YES』。

♪迷わずに　SAY YES♪

その曲を聴いたとき、私の中の迷いがスッと消えました。

「そっか！　ＳＡＹ ＹＥＳって言えばいいんだ！」

その瞬間、結婚を決めていました。歌の通り、「迷わずにＳＡＹ ＹＥＳ」。

迷っているとき、答えは意外に目の前にあるといいます。電車で目の前に立っていた人が着ていたＴシャツに書いてある文字で答えを見つけた人もいれば、看板広告の文字で答えを見つけたという人もいます。

きっと答えはすでにどこかに用意されているのだと思います。自分の意識とその答えの波長が合ったときに、意識と答えが繋がるのでしょう。そのきっかけが、私の場合は「ＳＡＹ ＹＥＳ」でした。

そしてあのとき、私の背中を押してくれたのは娘だったと思います。いずれ私たち２人の間に生まれてくることになる娘が、迷っている私に「パパと結婚して！」とシグナルを送ってくれたのでしょう。

「子供は親を選んで生まれてくる」といいます。だから私のことをママに選んでくれたとするならば、パパはイタリア人でないと困る理由が何かあったのでしょう。

「そのためにはイタリア人のパパと結ばれるように。ママとパパを結婚させないと」

そう思い、娘が私たちのキューピットになってくれたのかもしれません。

PROLOGO

– L'INCONTRO CON l'ITALIA –

娘がまだお腹にいるとき、夢を見ました。

〝銀河鉄道９９９〟の夢。

銀河鉄道９９９が宇宙を走っていて、その窓から1才半から2才ぐらいの小さな子が顔を出してニコニコしています。その子の顔がはっきり見えました。

「あ、男の子だ！」

その顔立ちから〝男の子〟だと思ったのです。

「ああ生まれてくる子は男の子なんだ」

その夢を見た私は、生まれてくる子は〝男の子〟だと信じて、男の子の名前だけを考えていました。

……でも生まれてきたのは女の子。その謎が解けたのは娘が生まれて2才ぐらいになったとき。

子供の顔は成長するにしたがってだんだん変わっていきます。娘の顔も1才、1才半と成長するにつれ徐々に変わっていきました。そして2才を迎えるようになったとき、あのとき夢で見た顔と瓜二つ、まるで生き写しのようにそっくりになっていました。

「やっぱりそうだったのね」

あのとき夢で見たのは娘が2才ぐらいになったときの顔でした。

息子のときも同じ夢を見ました。やはり銀河鉄道999に乗って窓から顔を出して私に向かって手を振っていました。

娘のときに夢で見た顔とそっくりな顔。だから男の子と間違ったのか。娘と息子は顔立ちがよく似ています。

私もそうですが、子供がお腹の中にいるときに、夢の中で生まれてくる子と会ったというママの話をよく聞きます。「夢のお告げ」なんて言われることがありますが、きっとお母さんと生まれてくる子は、どこかで意識が繫がっているのでしょう。それが夢という形となって現れ、ママに教えてくれるのだと思います。

生まれる前の赤ちゃんからママへのメッセージ。何て素敵なコミュニケーションでしょう。

『Benvenuto!』

イタリア語で「Benvenuto!」は英語の「Welcome」。

「ようこそ！　私たちのところへ」

主人と出会って25年。まさかあのとき、イタリア人と、そしてイタリアとこれほどの繫がりができるとは思いもしませんでした。

結婚する前は「イタリア人の彼と本当に上手くやっていけるのかな？」と不安でした。

共通言語の〝英語〟での会話はお互い第二言語同士。日本語でもないし、イタリア語でもない、お互いに言いたいことを表現できないのではないか？

友達や恋人ならまだしも、夫婦となって長いこと同じ屋根の下で生活するとなると言葉は大問題です。「日本人同士でも難しいのに……」と思っていましたが、いざ結婚してしまえば意外と上手くいくものです。

そしてイタリアと身近に接してみると、イタリア人がいかに今を楽しく生きているか、人生を楽しむ達人なのかをつくづく感じさせられます。

この本には私が感じているイタリア人的思考、イタリア人的生き方を書かせていただきました。私が経験した様々なエピソードを通して、読者の皆さんにも私と同じようにイタリアを身近に感じていただければ幸いです。

そこには、かつて私たち日本人が持っていた〝誇りや自信〟〝人と人との繋がり〟といった、今日本人が失いかけている〝大切なもの〟があると信じています。

そして、その〝大切なもの〟をハートで受け取っていただけましたら嬉しい限りです。

イタリアの子供は「宝物」と呼ばれて育つ

日伊ハーフの娘が教えてくれた人生を変える思考

目　次

第2章 イタリアの空はアズーロ！ 〜ライフスタイル〜

2° Capitolo Il Cielo Azzurro italiano — Lo stile di vita italiano —

マリリン・モンローに"アンコ〜ラ!"
〜イタリア人的思考〜

1

1° Capitolo Ancora Marilyn Monroe
— Il modo di pensare italiano —

★ミラノ駅で「地下鉄の駅はどこですかーーー！！！？？？」

イタリアの国立音楽院『コンセルヴァトーリオ　ディ　カステルフランコ　ヴェネトアゴスティーノ　ステファーニ（Conservatorio di Castelfranco Veneto "Agostino Steffani"』に通っている娘は今、ヴェネチア（ベネチア）から40分ほど離れた「カステルフランコ ヴェネト（Castelfranco Veneto）」という街に住んでいます。ヴェネチアまでは電車で1本、5ユーロ（約750円）で行ける場所です。

カステルフランコはイタリアの北東部にあるヴェネト州トレヴィーゾ県にある街で、ヴェネト州の州都はヴェネチアです。

カステルフランコは日本語に訳すと「フランコさんのお城」という意味で、かつてはお城があった城下町。今はもう昔のお城はなくなりましたが、ヨーロッパのお城の周りは塀（城壁）で囲まれていて、その塀の中と外に街が広がり、約33000人の人たちが暮らしています。

そんな中世ヨーロッパの名残を残すカステルフランコで暮らす娘ですが、ある日用事があってミラノに出かけることになりました。その日のスケジュールは電車でミラノまで行き、用事を済ませて最終電車に乗って戻ってくるというもの。

その日の用事を済ませた娘は、最終電車に乗ろうとミラノ中央駅に急ぎました。その日いくつかの用事を抱えていた娘はすべての用事を済ませるのに少し時間がかかり、最終電車ギリギリの時間になっていたのです。

ミラノ中央駅は大きな駅で、日本でいえば東京駅のようなターミナル駅です。娘はてっきりそこから電車に乗ればいいと思っていたのですが、実はミラノにもう一つあるミラノ・ポルタ・ガリバルディ駅から出ている電車に乗らなければいけなかったのです。

「ええ〜！　何で〜？」

ミラノ・ポルタ・ガリバルディ駅へ行くためには、地下鉄に乗って2駅ほど行き、その駅で最終列車に乗り換える必要があるのです。

「これじゃ間に合わない」

地下鉄の駅まで急がなければ、最終電車に乗れません。最終電車に乗れなければ家まで帰れません。

「どうしようか……よし、走ろう！」

イタリアでは予期せぬトラブルはしょっちゅう起こります。なのでどんなときも臨機応変に行動することが求められます。娘もとっさの判断で目的の地下鉄の駅まで走っていこうと決めました。

「走れば間に合う」

急いでミラノ中央駅の外に出た娘は目的の地下鉄目指して走りだそうとしました。

ところが……

「どっちに行けばいいの？」

地下鉄の駅の場所を知らなかったのです。

重たいスーツケースをガラガラ引っ張り、慌てて通りに出たものの、地下鉄の駅がわからない。

「どこどこ？　どこなの？？」

右に行こうか左に行こうか……迷っている場合ではありません。最終列車の発車時刻は迫っています。

「もう、どうすればいいのよぉ……」

イタリアマインドを持っている娘とはいえ泣きそうになります。最終電車に乗り遅れては家まで帰れないのですからパニック！

「帰れなくなっちゃうよ～」

泣き出したくなる気持ちをグッとこらえ、意を決した娘は叫びました。

「地下鉄の駅はどこですかーーー！！！？？？」

街中の路上で大声で叫びました。

「どこどこ？　地下鉄はどっちに行けばいいのーーー！！！」

すると娘の声を聞きつけた、周りにいた人たちが一斉にみんなで同じ方向を指さして、

「あっちあっち！」

地下鉄の場所を教えてくれました。

「ありがとう！」

教えてもらった方向へ娘がスーツケースを引きずりながら走っていくと、今度はみんな一斉にサ〜っと避けて道を空けてくれます。

「あっちだよ！」

娘のために駅までの道を作るように、歩道にみんなズラーッと一列に横に並んで、

「あっち！」

「あっちだよ！」

「ほら、あっち！　あっち！」

娘が目の前を通るたびに、周りの人たちが次々と声をかけながら駅の方向を指さしてくれます。

それはまるでミュージカルの1シーンのよう。主人公のためにみんながサーっと道を空けてくれるように、娘を駅まで案内してくれたのです。

「ありがとう、みんな!!」

きっとそのとき娘の中では音楽が流れ、ミュージカルの主人公を演じている気分だったでしょう。

周りの人たちから勇気をもらった娘は力一杯走り続けました。

「着いた!」

ミュージカルならばハッピーエンド。

ところが……

「どの切符買えばいいの?」

駅に着いたのはいいけれど、今度はどの切符を買っていいのかわかりません。

イタリアの電車は日本のように磁気カードで入場する便利なシステムではなく、販売機でチケットを購入するのが一般的です。

「どれ?　どれ押せばいいの?」

次々に襲うトラブルにパニックになりながらも必死でどうすればいいか考えます。発車時間ギリギリ、もう考えている時間はありません。娘は販売機の前で大声で叫びました。

「ガリバルディ駅に行くにはどれ押すのーーー!!!???」

娘の声を聞いて、近くにいたおじさんがすぐに近寄ってきました。そして1枚の切符をスッと差し出すと、

「ボクが切符持ってるよ。これ持って早く行きなさい」

娘が困っているのを見て、自分の切符をくれたのです。

「ありがとう!」

困っている人を見るとイタリア人はよく手を差し伸べてくれます。親切なおじさんのお陰で何とかピンチを切り抜けました。

「ああ良かった」

ようやくホッとして座席に着いた娘が何気なく切符を見てみると、

「何これ?」

なんと切符の裏に、おじさんの手書きの電話番号が書いてあります。

「いつ書いたの!?」

たぶん娘に切符を渡す寸前に素早く書いたのでしょう。

イタリア人男性あるあるですね。切符の裏に電話番号を書いて渡すなんてトレンディドラマ以外日本人の男性ではまずいないでしょう。

娘が苦笑したのが目に見えます。

しかし、苦笑している場合ではありません。地下鉄を降りたらミラノ・ポルタ・ガリバルディ駅から出ているヴェネチア行きの電車が待っているプラットホームまで走らなければなりません。しかも出発まであと5分もありません。

「もしかしたらもう間に合わないかも……」

ダメもとで走りました。しかし……ホームに到着したときには、すでに最終電車の発車時刻は過ぎていました。

日本ならｔｈｅ ｅｎｄ。でもここはイタリア。

何と！　発車時刻が10分遅れていたのです。

こうして様々なトラブルに見舞われ途中泣き出しそうになりながらも、結局最後は上手く事が運びました。

これがイタリアという国。

最後は何とかなる、そんな底力を秘めた国なのです。

★〝マリリン・モンロー〟に「アンコ〜ラ！」

娘がまだ高校生のとき、私と一緒にイタリアに行ったときのこと。

2人で街を歩いていると、何かの通気口がありました。それを見た娘は、何か面白いことを思いついたという顔で言いました。

「ママ、マリリン・モンローやっていい？」

あの有名なマリリン・モンローの映画『七年目の浮気』に出てくる通気口の風で〝スカートがふわりとめくれ上がるシーン〟を真似したいというのです。

「やめときなさい、こんな街中で」

たいていの親なら高校生の娘が街中で〝スカートふわり〟をやりたいと言っても、人目を気にして止めるのが普通でしょう。しかもこの日の娘はミニスカート。風でめくれ上がったらどうなるか。

でもウチの娘は自分が「面白い」と興味を持ったことは、とにかくやってみないと気が済まない性格。「やりたい」と言い出した瞬間に、娘の中では「やる」と決めているのですから、よっぽどのことでない限り私も止めたりしません。このときも娘は「やっていい？」

と言うが早いか、通気口の上に立ち、ワクワクして楽しそう。

まわりはカフェが立ち並び、お客さんがのんびりとコーヒーを飲んでいる。そんな真っただ中でマリリン・モンローのスカートふわりを真似しようというのです。周りの目を気にするような子なら、「恥ずかしい」と思って決して真似しようなどと思わないでしょう。でも娘の場合は周りの目より自分の好奇心。自分が「やってみたい」「楽しい」と思うことをやることが優先。

好奇心の目をクリクリさせながら通気口の上に立つとスーッと風が吹き上がり、娘がはいていたミニスカートは見事にふわりとめくれ上がりました。

「ワオッ！」

マリリン・モンローのようにスカートを手で押さえたものの、めくれ上がったミニスカートの中は丸見え。

「やばっ！　めっちゃめくれた！」

それでも娘は街中でパンツが丸見えになったことなど気にも留めずに、まるで自分がマリリン・モンローになったかのように楽しそう。

すると、そんな娘の様子を近くのカフェから眺めていた一人のお客さんが、

「アンコ〜ラ！」（もう1回！）

40代ぐらいのイタリア人男性が楽しそうに拍手しながら娘に声をかけたのです。

「アンコ〜ラ！」

女の子のパンツが見えたときに、拍手しながら「いいねいいね！　もう1回！」。そんな風に言えてしまうのがイタリア人。自分の感情をストレートに表現して「もう1回見たい！　もう1回やって！」と楽しそうに声をかけてくる。

これがもし日本人の男性ならどうでしょう。たぶん黙って見ているか、見て見ぬふりをしているか。間違っても「もう1回！」なんて声をかける人はまずいないでしょう。だっておじさんが高校生のパンツを見て「もう1回見せて！」なんて声かけたら大変なことになりますから。

その点イタリア男性は、まるで舞台を見て感激して「ブラボー！」と拍手するように「アンコ〜ラ！」。

そんな風に陽気に言われると、ちっともいやらしく感じません。もっとも言われたほうの娘はさすがに「アンコ〜ラ！」の声に、顔を赤くして恥ずかしそうにしていましたけど。

イタリア人は思ったことをストレートに表現します。「可愛い」と思えば「可愛い」と言い、「カッコ悪い」と思えば「カッコ悪い」とストレートに言います。通りで女性とすれ違ったときに、「あ、可愛いね！　そのスカート」と何のてらいもなく言えてしまうのがイタリア人なのです。

レストランやバーなどのお店でも誰かが可愛いネックレスをしていれば、「そのネックレス凄く可愛いね！」と話しかける。それが挨拶代わりとなりコミュニケーションが始まります。それが自然にできてしまうのがイタリア人の素晴らしいところです。

「Che bella che sei !」（キミ可愛いね！）

日本だと気安く知らない女性にそんな風に声をかけたりしませんね。

娘のスカートふわりを見たカフェのお客さんも、「アンコ〜ラ！」と拍手して映画やドラマの1シーンのように一緒に楽しんでしまう。イタリアはそんな素敵なお国柄なのです。

目の前にあることを最大限楽しむ。言葉や態度にして表現する。

そんな風に日常を楽しく過ごせたら、何事にも忖度しすぎな私たちももっと自由に楽しく生きられるのかもしれませんね。

★イタリアの電車は普通切符で特急もOK？

高校卒業後の進路を「イタリアの音楽院に行く」と決めた娘とヴェネチアの音楽院を見学に行ったときのことです。

主人の実家の最寄り駅からヴェネチアに行くには、途中駅のパドヴァで電車を乗り継いで行きます。パドヴァ駅での乗り換え時間は5分。といっても、電車の運行スケジュールがきっちり決まっていて「何番線のプラットホームから×時×分」に分刻みで正確に電車が発着する日本と違って、イタリアは電車が遅れて当たり前。そのうえ発車するプラットホームが変わることも日常茶飯事。直前までどのプラットホームに電車が来るのかわからないケースも多くて、いざ駅に着いて乗り換えようとしたら、かなり先のホームまで走って行かなければ間に合わないケースもよくあります。

主人が日本に来てビックリしたのが電車が時間通りに来て時間通りに到着すること。

「盛岡まで新幹線に乗ったときに到着予定時間12時54分で、本当に12時54分ピッタリに着いてドア開けちゃう。何百キロも遠いところまで行くのに、秒単位までピッタリできる。〝すげーな！〟と思った」

それほど驚いたといいます。

イタリアでは、もしも電車が時間通りに着くと、わざわざ「この電車は時間通りに○○駅に到着しました」とアナウンスが入るほど強調されます。反対に時間通りに着かないとまったくアナウンスはありません。イタリアは時間になっても来ないのが当たり前、そもそもイタリア人は電車の時間を信用していません。この日も乗り換え電車が来る予定のホームで待っていると、発車予定時刻になっても電車が来ません。

「まあ、いつものことだから」

乗客たちも毎度のことでもう慣れっこです。イタリアでは電車が1時間遅れることもあるし、それどころか来るはずの電車が来ないことすらあります。とはいえ日本式の正確な発車時間に慣れている私と娘はだんだん焦り始めます。すでに発車時刻を30分以上過ぎても一向に電車が来る気配がなくて、さすがにイライラし始めました。

「まだ来ない。どうなってるの？」

ちょうどそこにやっと電車が到着。ところが来たのは私たちが乗る予定の普通列車ではなくて、ワインレッドの色が美しいイタロという高速列車（日本でいう新幹線のようなもの）。それでもイタリア人の乗客たちは慣れたものです。列車から降りてきた車掌さんに詰め寄り、もう30分以上経つのに列車が来ないからイタロに乗せろと交渉し始めました。ちょっと推し問答はあったものの、車掌さんは発車時刻が気になるのか、乗っていいよと少し投げやりなジェスチャー。それを見た乗客たちは「いいよいいよ、これに乗っちゃえば」とばかり、イタロに一斉に乗り込み始めました。当然みんな、私たちと同じように普通電車の切符しか持っていません。でもそんなことは気にせず、堂々とイタロに乗り込んでいきます。

どんなシチュエーションでも臨機応変に交渉したり対応したり。日本だと規則は規則だからと、断られることが多いでしょうし、よくて上司に相談します的な対応になることでしょう。そもそも可能かどうかを聞かずに終わってしまうことのほうが多いかもしれません。しかし、イタリアでは、それぞれがそれぞれの立場で、今何がベストな解決方法なのかを考え実行に移します。

目的の電車が来なければ、そこに来た電車に乗ればいい。とりあえず目の前の状況に対応して行動に移す。そこでまた何かあれば、今度はそのシチュエーションに合わせて対応する。それで上手くいってしまうのがイタリアという国。

「どうしようか？　この電車も行くんだよね、ヴェネチアに」

私たちは車掌にヴェネチアに行くかを確認し、必要だったら差額分を支払えばいいしと、イタリア人乗客に混じって乗り込むことにしました。

普通列車と違ってイタロは座席指定。乗客は決まった席に座るのですが、特急列車の切符を持っていない私と娘は席が空いていてもさすがに座るわけにもいかずデッキに立っていると、そこに車掌さんが来ました。

「すいません。この列車、ヴェネチア・サンタルチア駅まで行くんですよね？」

再確認をしました。しかし、この列車は私たちが行きたいヴェネチア・サンタルチア駅には行かず、ヴェネチアはヴェネチアでもヴェネチア・メストレ駅へ停車することが判明しました。実はヴェネチアには海側のサンタルチア駅と陸側のメストレ駅があるのです。乗り込むときにヴェネチアに行くかどうかしか聞かなかったので、慌てることになってしまいました。

「やばい、どうしよう！」

メストレからサンタルチアまで電車はあるのか、頻度はどれくらいなのか。一体私たちは待ち合わせの時間に間に合うのだろうか？　イタロに乗ったのがそもそも間違いだったんじゃない？……そんなことが脳裏をよぎります。

そんな私たちを知ってか知らずか、車掌さんは「キミたち、どこから来たの？」と話しかけてきます。

「日本からです」

それを聞いた車掌さんは〝おお、日本から〟という表情を見せた後、私たちに優しく言ってくれました。

「日本から来たの。じゃあいいよ、立ってないで空いてる席に座っていいよ」

これがもし日本なら普通切符で新幹線に乗っている乗客に「座っていいよ」なんて言ってはくれないでしょう。追加の特急料金を取られるのは当然として、そもそも普通切符で乗ること自体がルール違反といえばルール違反。

そのルールにがんじがらめに縛られたりしないのもイタリアのお国柄。たとえルールがあったとしても、その場面に応じて臨機応変に対応する寛容さがイタリア式です。日本人からすると、ちょっといい加減と感じるかもしれませんが、そのいい加減さがいい塩梅となるのです。ルールに縛られすぎず、ときにいい加減なぐらいの寛容さで対応するほうが物事は上手くいくのかもしれません。

いい加減とは「良い加減」ということ。規則で自分の首を自分で締めてしまいがちな日本にも、このおおらかな「イタリア式寛容さ」を少し持ち合わせるとちょうどいいのかもしれませんね。

さて、その後、席に座った私たちはメストレからサンタルチア行きの列車の時刻を調べ、問題なくサンタルチア駅へ行く段取りが取れたことで、ようやく一安心できたのでした。

★イタリアでの交通事情

イタリアで車を運転していると日本と違って驚くことがあります。それが交差点に信号がないこと。大きい交差点以外はほとんど信号がありません。

「信号がなくて大丈夫なの？　事故が起きたりしないの？」と思うかもしれませんが、信号がなくても事故は起きません。

それはなぜか？　イタリア人は運転している最中も神経を研ぎ澄ませているから。

主人はいつも日本人の運転を見て言います。

「日本人は車運転してるときに眠ってる」

イタリア人は、女性でも老人でも車の運転が上手い人が多く、車でボーッと運転している人はあまりいません。ボーッとしていると、クラクションを鳴らされてしまいます。

イタリアは国の方針で交差点の多くは「ロトンダ」というロータリー（環状交差点）方式を採用しています。

「ロトンダ」は英語では「ラウンドアバウト」。つまり交差点が丸く円形のロータリーのようになっていて、車は交差点に入ると、グルリと回って自分の出たいところの道まで来たところでロータリーを出ていきます。

これは凄く便利な方式で、信号がないので日本のように信号待ちでイライラすることもありません。日本だと交差点で左折したいときに、歩行者の信号が青で歩行者が渡っていて待たないといけないことがあり、なかなか左折できずに車が詰まって信号をもう一回待たなくてはならないことも多々あります。その点信号待ちがない環状交差点はすぐに侵入できるのでイライラせずに済みます。

ただし気をつけないといけないのは、自分が行きたい方向を忘れないこと。なかなか出られずにグルグル回っているうちに方向感覚をなくして、「あれ、どこから出るんだっけ？」とわからなくなることがあります。そうなるといつまでもグルグル回っていることに……。

さらに大きな交差点になると、ロータリーが3車線あって3重の円になっているので、車線変更が大変。すぐに出るつもりが間違って内側の円に入ってしまうと、出たいときに車線変更できず、またグルグル回ることになります。

反面、車がほとんど通っていない道では、交差点を真っすぐ進めないので、多少面倒くさい面もありますが。

もう一つ気をつけないといけないのは、ロータリーに入るとき。ロータリーでは先に入っている車が優先で、これからロータリーに入る車は入れるスペースが空くまで待つ必要があります。車が回ってきたときに入るとぶつかって事故になるため、車が途切れた瞬間に入らないといけません。その入るタイミングを見逃さないためには神経を研ぎ澄ませて集中していないといけないのです。

交差点がロータリーではなく信号がある日本は、そこまで意識を働かせていません。それが主人が言う「日本人は車運転してるときに眠ってる」なのです。

ロータリーに入るときにスキあらばと強引に割り込んで入ることもあります。日本だとそんなちょっとのスキで危険を犯すよりは、安全策を取り車をやり過ごして待つほうが多いですが、イタリアは違います。皆が「スキあらば」という発想なので、ロータリーを走っている運転手は、強引に割り込んでくる車がいるだろうことを十分に想定して運転しています。常に四方八方を意識しているので何事も想定内。その結果、事故を回避できるのです。

それでもロータリーに限らず割り込んでこられると、ハンドルを握っていようがジェスチャー付きで怒ります。しかし怒りはするけど、それが日本のようにあおり運転や嫌がらせ運転に繋がることはありません。そもそもあおり運転という言葉は存在しません。怒ったとしてもそこでおしまい。陰湿に後まで尾を引くことはないのです。

こんなエピソードを聞いたことがあります。

日本人のレーサーが、イタリアのくねくねした山道を運転していたとき、自分の車を追い越していく車がありました。

いくら地元で道感があるといえ、レーサーである自分がそこそこスピードを出して走っているのに、追い越されることはプライドが許しません。その車に追いつこうと車を走らせましたが、結局追いつくことはできませんでした。

どんな運転手が乗っていたのだろう、レーサーに違いないと思いを巡らせていると、広い道に出たとき、その追い越された車の運転手がちょうど車から降りてくるところでした。見るとなんと、その運転手は女性で、しかも妊婦で驚いた、というエピソードです。

日本でも坂で有名な日光のいろは坂がありますが、車好きの主人はこの道が大好きです。自分の運転テクニックを楽しみ、家族に見せるチャンスですから。私から見てもレーサーかと思うほどヘアピンカーブの運転は上手で、タイヤの音を鳴らしながら楽しんで運転しています。

信号待ちや渋滞で何かとイライラしがちですが、車はイライラせずに楽しむ。イライラを回避するインフラも運転テクニックも、イタリアならではのものがありそうです。

★スピード違反に厳しいイタリア

イタリアでは歩行者も〝眠って〟いてはいけません。道を渡るときには意識を集中して渡らないと事故に繋がります。

日本のように安全運転思考ではないイタリアでは街中でもスピードをかなり出して飛ばします。特にローマでは街中でも平気で80㎞、90㎞出して飛ばして走るのが普通。歩行者が渡ろうとしていても一向に止まってくれないので、道の向こう側に渡るのも命がけです。日本だと歩行者優先で車のほうが歩行者に気をつけないといけませんが、イタリアは逆に歩行者のほうが車に気をつけないといけません。それがイタリア式の交通ルール。

……というのがイタリアの交通事情だったのですが、現在は交通ルールが厳しくなって、かつてのように街中で飛ばしても平気という状況ではなくなりました。

主人が言うには「国が怒ってめっちゃ厳しくなった」そうですが、今や「法定速度10％オーバーで罰金」です。スピードが規定の10％超えると、自動速度取り締まり機に写って捕まるのが今のイタリアの交通事情。道路に設置されたカメラに車のナンバープレートを読み取られて即罰金です。

主人の弟は普段はスピードを出さない運転なのですが、ある道で少しスピードを出したために、その道に設置された3台のカメラに捕まり、3回分全部の罰金を払ったそうです。罰金の金額も日本と比べて結構高いようで、主人の話では少し大袈裟ですが「弟の1ヵ月分の給料がなくなった」のだとか。

自動取り締まりカメラ以外にも、日本では見かけない取り締まりシステムがあります。スピードを出しすぎている車がいると、センサーがその車に反応して次の信号が赤になるシステム。信号が赤なので止まると、そこに隠れていた警察がやって来て、スピード違反で捕まって罰金。車に反応して信号が赤になってしまうのですから、運転中はスピードメーターを常に意識していないといけません。

「イタリアは今凄くスピードに厳しい。日本はまだ緩い」

主人はそう言いますが、寛容なイタリアでもスピード違反の取り締まりは日本より厳しいようです。

★マニュアル車大好きイタリア人

車社会のイタリアでは車の運転が欠かせません。日本で右ハンドルの運転に慣れている私は、最初イタリアで運転し始めた頃は左ハンドルに慣れるのに大変でした。そのうえ交差点はロトンダ。車線変更できずにグルグルグルグル延々と回っていたこともあります。今はもう慣れて平気な顔で運転していますが、当初は車の運転が不安で仕方ありませんでした。

オートマチック車が当たり前の日本と比べて、イタリアの車のほとんどがマニュアル車です。最近ではオートマチック車もぼちぼち増えていますが、イタリア人はマニュアル大好きです。イタリアの国民的自動車の『フィアット』もそうだし、『トヨタ』もイタリア仕様はマニュアル車。

日本でオートマチック車に乗って便利さを知っている私は「何でそんなにイタリア人はマニュアル車が好きなの?」と思うのですが、その理由はイタリア人特有の遊び心。自分でギアを変えなくても、車が勝手にギアを変えてくれるオートマチック車は彼らにはどこかつまらないのでしょう。車任せにせずに自分の手でギアを切り替えるマニュアルタイプはどこか車職人っぽさがあるのだと思います。バッグでも靴でも職人の手作業で作るこだわりがイタリア人の職人気質に現れているように、勝手にギアが切り替わる車は彼らの遊び心は満たしてくれないのです。

音楽院に通う娘ですが、車社会のイタリアということもあって日本で運転免許を取ってから留学しました。とはいえ免許はオートマだけ。時間もかかるし手間だからとマニュアル免許を取らずに行ったので、結局車を運転していません。イタリアではオートマ車の免許でマニュアル車も運転していいそうですが、マニュアル車に慣れていない娘は運転は控えているようです。

一方主人はというと、日本で長く暮らしているうちに、すっかり日本のオートマ車の便利さに慣れてしまったようです。口では「オートマよりマニュアルのほうが全然いいよ」と言う主人ですが、イタリアに帰って車を借りるときにはレンタカー屋さんにある数少ないオートマ車を借りています。

日本でオートマ車に馴染んだ主人にとっては〝イタリア人の職人的遊び心〟より〝オートマ車の便利さ〟のほうが優先のようです。

★イタリア人が持っている〝もったいない精神〟

イタリア人男性は主人もそうですが、何かモノが壊れたらほとんど自分で直します。たとえば車が壊れても自分で直してしまいます。さすがにエンジンが壊れたときだけは専門店に修理を頼むケースもあるようですが、タイヤがパンクしようが、電気系統が故障しようが、イタリアの男性は自分で修理を楽しみます。

車もバイクも自転車の修理も全部自分。日本人のようにお金を出して専門店で修理してもらうような習慣がイタリアにはあまりありません。バイクと自転車好きの主人も当然自分で修理します。

「オイル関係とかチェーンとかブレーキとかの修理は自分でやる。それがイタリア人は普通」

イタリアでは車もバイクも〝女性〟です。

車は「La macchina（ラ・マッキナ）」、バイクは「La moto（ラ・モート）」。

イタリア語には男性名詞、女性名詞があって、「la」がつく名詞は〝女性名詞〟。つまり〝彼女〟という表現になります。ちなみに主人は自分のバイクに女性の名前をつけています。名前は「ベッティ」（黒いバイクなので「ブラックベッティ」とも）。

「名前をつけるのはアイデンティティ。そのほうが大事にするでしょ」

ツーリングなどの遠出をしたときには、チェーンにオイルをつけたり、綺麗に磨いたりしてメンテナンスをして恋人のように大切にしています。

健康を兼ねた趣味のロードレーサー（自転車）で遠くまで行くことがある主人ですが、自転車のメンテナンスや修理も自分で行います。

「自転車のパンクも自分で直す。それがイタリア人は普通。当たり前ですよ。自転車でどこか行ってパンクなったらどうする？　帰れないじゃん」

イタリアの田舎出身の主人は、トラクターが壊れても自分たちで直していたそうです。父親が自分で直す姿を見て、子供たちも「それが当たり前」のこととして育ちます。イタリアではそうして父から子へと〝自分で修理する〟習慣が受け継がれているのでしょう。

うちのレストランでも水道が詰まったときや蛇口が壊れたとき、そうしたトラブルがあっても主人が自分で部品を買ってきて直します。

「シェフ、そんなこともできるんですか？」

従業員のスタッフから驚かれますが、当の主人は当たり前の顔。

「え、日本ではこんなことも修理を頼むの？」

逆に不思議に思うようです。家のリフォームも自分でやるのがイタリア流。日本でも日曜大工的な作業は趣味でやる人がいますが、イタリア人はもっと本格派。電気の配線から内装まで、何から何まで全部自分でやります。その根底には、日本と比べてイタリアは経済的にあまり豊かではないという事情があるのかもしれませんが、自分で何かを作り上げるということは喜びがあるものです。

「お金がかかるなら、自分でできることは自分でやろう」

これはイタリア人の職人気質的なところが顔をのぞかせているのかもしれません。日本のように専門店にお金を払えば何でもやってもらえるのは便利ですが、「できることは人に任せず自分でやろう」というイタリア人精神も、ときには必要かもしれません。

「壊れたらちゃんと直す。捨てるのはもったいない。日本も昔はそうだった。今はちょっと壊れたら捨てちゃう。ダメでしょ。直して使おう」

主人が言うように、昔の日本もイタリアと同じように、壊れたものは自分で直して使っていました。今は壊れたら捨てて、すぐに新しいものを買って使う。悲しいかな、使い捨ての文化が幅をきかせています。日本人のモットーだった〝もったない精神〟ですが、イタリアのように、その精神に立ち返ってみると、モノへの愛が格別なものになるように思うのです。

★ストレスを溜めないのがイタリア流

日本ではよく見かける酔っ払い。繁華街に行くと、酔っ払いのサラリーマンのおじさんたちが道端でクダをまいていたり、その辺の物などに当たっていたり、酔っ払い同士でケンカしていたり、そうした場面に出くわすことがありますが、イタリアでは日本のような酔っ払いがいません。不思議なことに本当にいないのです。

イタリア人の基本は〝人生を楽しむ〟こと。お酒も陽気に楽しく飲むのが基本のイタリア人はお酒に酔うことはあるけれど、悪酔いするような人はほとんどいません。日本のようにパブリックなスペースで悪酔いして、自分の行動をわきまえられないほど飲む人は見かけません。もちろんイタリア人もお酒の席で愚痴はこぼしますが、醜態を晒している人はまずいません。

陽気にスマートに！　それがイタリア流のお酒の楽しみ方です。

世界各国、お酒はストレス発散の一つの方法ですが、そもそもイタリア人は日本人のようにそのストレスを溜め込まないのです。

嫌なものは嫌。ダメなものはダメ。その場ではっきり口に出して相手に伝えます。

たとえば相手が仕事の上司だろうと遠慮することはありません。それが仕事の場面なら、なおさらです。

「私はこう思います」

上司に忖度することはありません。

かつてうちの主人もイタリアのレストランに勤めていたときに、上司相手に自分の意見をはっきりと言ってケンカになったこともあるそうです。

でもケンカしたとしても、その場でおしまい。決して引きずらない。カラッとしたイタリアの気候のように、ケンカはしても陰湿さはまったくありません。お互いに根に持ったりするようなことはないのです。言いたいことははっきり言ってストレスを溜めない。

これが日本だと、上司に向かってなかなかはっきりとは言い出せないものです。言いたい気持ちをグッとこらえて自分の中に溜め込んでしまう。嫌な気持ちを自分の中で解消しようとしても解消できず、いつまでも引きずってしまうからストレスがだんだん溜まってくる。

そして、イタリアでは何か嫌なことがあったときはすぐに誰かに相談し、一人で抱え込むことが少ないのです。それが日本人との大きな違いです。

大人だけでなく、子供たちも嫌なものは嫌だと、先生に対してもはっきりと自己主張します。日本では先生の言うことを黙って聞く子がいわゆる〝良い子〟ですが、イタリアでは自分の意見が素直に言える、そんな雰囲気があるのです。

そんなイタリアにもイジメのようなものはあります。でも日本のように陰湿なイジメがじくじくと続くようなことはありません。主人も小学生のときにクラスメイトからイジメのような嫌がらせを受けたことがあるそうです。

そのときどうしたのか？　イジメてくる数人の相手に対してきっぱりと「嫌だ」「やめて欲しい」と面と向かって告げたとのこと。すると次の日からパタリとイジメはなくなり、誰からもイジメられなくなったのだそう。

これが日本だとなかなか面と向かって「嫌だ」「やめて」とは言えません。言ったら余計にイジメられるケースもあります。でもイタリア人は「嫌なものは嫌だ」とはっきりと相手に伝えるのです。

感じた感情は素直に表現する。口に出す。

日本では怒りなどの感情は出してはダメと教育されますが、その怒りを表現せずにいると、中で燻り続けます。それが続くとその感情は圧縮され、ある日突然に爆発することになるのです。

娘も主人同様に嫌なものは嫌だとはっきり主張します。小学校高学年ぐらいになると、学校の友達ともよくケンカをしていました。

「何でそんなこと言うの？　彩来は傷ついた」

「そういうことされるのは好きじゃない」

娘が通っていたインターナショナルスクールに通う子は、娘同様自分の内にこもらずに自己主張する子が多いだけに、お互いにはっきり言い合います。ケンカになったとしても、そこに陰湿さは一切ありません。

イタリアの音楽院でも娘は言いたいことがあれば、先生に対してでもはっきりどうして欲しいのかを言うそうです。それは娘だけでなく学生たちはみんな一緒。自分の意思を押し殺して黙って我慢する習慣はイタリア人にはないのです。

嫌なものは「嫌」、ダメなものは「ダメ」とはっきり言う。

大人も子供も内にこもらない。

そして、言われたほうもそれを根に持つことはない。

それがストレスを溜めないイタリア流ですし、意識せずともそこにはカラッとしたエネルギーが残るのです。

★協調性を重んじる日本人、自分を大事にするイタリア人

娘は体型が〝イタリア人体型〟です。ノンナ（主人のママ＝おばあちゃん）の血筋なのか、日本人からすると大きなお尻で、小尻や小顔などスリムな体型がもてはやされている日本では、娘のような大きなお尻はネガティブに捉えられがちだと思います。でも娘は自分のお尻を「可愛い」と言います。

「ママ見て、彩来のお尻すっごく可愛いでしょ！　彩来は〝ボン！　キュッ！　ボン！〟なの」

自分で〝ボン！　キュッ！　ボン！〟とやってみせながら自信満々。

それは娘が小さい頃から私が「彩来ちゃんのお尻可愛い」と言って育てたこともあるのかもしれませんが、娘は自分の大きなお尻をチャームポイントにしています。

反対に日本人の女の子はというと、どうしても自分のマイナスポイントに目が向いてしまいます。「顔の大きさが好きじゃない」「足が太くて嫌」「お尻が大きいから嫌い」……とマイナス要素に目を向けて〝自分が嫌い〟。一方娘は日本の価値観ではマイナス要素に取れる大きいお尻をプラスに捉えて「私は好き！」。

自分の嫌いなところにばかり目を向けて、自分を卑下しているといつまで経っても自分に自信が持てませんし、自分が好きでなくなります。

人は自分のことが好きでないと、心が満たされなくなります。そうすると、その心を満たすために、他人からエネルギーを奪おうとするのです。そのエネルギーを奪う行為がイジメや陰口となって現れます。

たとえばコロナ禍でマスクをするようになって以来、日本の女子高生の間ではマスクを外している子を見ると、マスクを外せない子たちがこう言うのだそうです。

「あなた、自分のこと〝可愛い〟って思ってるんでしょ？」

陰湿なイジメと陰口。マスクを外せない原因は自分の中にあるのに、外している子を攻撃してしまう。それは満たされない心を歪んだ方法で満たすための一種のエネルギーバンパイア。

もし彼女たちが素直に自分を表現でき、自分が好きで心が満たされているのなら、相手に嫌味を言ったり陰口を叩こうとは思わないものです。だって自分が幸せなのに人をイジメても何の得にもならないし、そもそも誰かをイジメようなんて発想にはなりません。

今の日本人は時間に追われ、仕事に追われ、勉強に追われ、好きなこともできずに、何かわからないけど満たされていない感がある。だからちょっとでも自分と違うことをしている人を見かけると、無意識にでも嫌味を言ったりイジメに走ってしまう。コロナ禍では「同調圧力」という言葉がクローズアップされましたが、日本人はいつからか他人に干渉してしまいすぎになりました。

「人の不幸は蜜の味」という言葉が日本にはありますが、イタリア人にはそんな発想はありません。不幸な人を見ると放っておけない気質ですが、それは別として、何よりもまず自分を大切にしています。自分が楽しむこと。自分が幸せになること。

協調性を重んじる日本では「自分を押し殺してまで相手に尽くしましょう」という風潮があります。それが美徳とされています。

協調性は大事です。周りと協調して上手くやっていくのは日本人のいいところですね。でも実際には自分を二の次にして人を幸せにすることなどできません。

日本人もイタリア人のように、いい意味で〝自分が一番！〟でいいと思います。「お尻が大きくて嫌」ではなくて「大きいお尻が好き」のほうが自分を好きになれます。

もっと〝自分〟を大切にしたほうがいい。何よりもまず自分を大切にして自分が幸せになることが一番！

最も身近である自分を幸せにできなければ、他人も幸せにすることはできないのですから。

★日本流〝恥の文化〟とは無縁なのがインターナショナル

娘が中学生のときのことです。友達と水族館に行くという娘に、「どこの水族館？」と聞いたところ、返ってきた答えが……

「ピンガワ」

ピンガワ？　何のことを言っているかわからなかった私がもう一度聞いてみると、

「ピンガワの水族館だよ」

やっぱり〝ピンガワ〟だと言います。

「〝ピンガワ〟ってどこよ？」

「え、ピンガワはピンガワだよ。ママ知らないの？」

「知らない」

……と、ここでふとあることを思いつきました。

「もしかしてピンガワって〝品川〟？」

「ああ、そうかも～」

娘は「品」という字を「ピン」と読んでいました。主人がレストランをやっていることもあって、「一品（いっぴん）」「二品（にひん）」のことは知っていた娘は、「品」を「ピン」と読むことは知っていても、「しな」とは読めなかったのです。なので「品川」は「ピンガワ」。

「へえ〜、品川で〝しながわ〟って読むんだ」

日常会話にはまったく困らない娘ですが、漢字はちょっと苦手のようです。

以前、家族で食事に行ったときのこと。お店の壁に大きな絵が飾ってありました。その絵は飛鳥地方を描いた絵で「飛鳥」と書かれていました。

「彩来ちゃん、ちなみにあの字何て読む？」

「ママ、バカにしてるでしょ？　彩来のこと」

「いやいや、わかるかなあと思って」

娘は〝何言ってんの〟という顔で自信満々に答えました。

「とっとり！　〝とっとり〟でしょ！」

飛鳥＝とっとり。胸を張って自慢げに言い切ります。

「確かにこれ〝とっとり〟って読めるよね。〝飛ぶ鳥〟だもんね」

「当たり前じゃん」

「でも違う」

「え、何で違うの？　とっとりだよ、とっとり。ママが間違ってる！」

娘は〝何で？〟と私に食ってかかります。自分が正しくて私のほうが間違っていると主張してきます。

「飛ぶに鳥で〝とっとり〟以外に何て読めるの？」

私が正解を教えると娘はハトが豆鉄砲を食らったような顔。

「ええ〜、何で飛ぶ鳥で〝あすか〟なの〜!?　とっとりだよ、とっとり！」

確かにそう読めないこともないですが……。

娘の間違い話でいうと、これは去年の夏に娘がイタリア留学から一時帰国したときの話。

インターナショナルスクール時代の友達と食事をしようと、しゃぶしゃぶのお店に行ったときのこと。メニューに書いてあった〝ある文字〟が気になりました。


『薬味』


「〝くすりあじ〟って、どんな味？」

友達もハーフの子たちなので、その文字の意味がわからなかったのです。

「薬の味だから、漢方とか入ってるのかな？」

「そうかも！　しゃぶしゃぶに漢方入れて食べると健康にいいのかも」

「絶対そうだよ！　薬の味がするしゃぶしゃぶだよ！」

確かに文字からすると、そんな気がしてきます。

『薬味』の文字で想像を膨らませてワイワイ楽しんだ後、店員さんを呼んで正解を確かめようということになりました。

「すいません。この〝くすりあじ〟って、どんな味ですか？」

彼女たちの質問に店員さんはあっさりひと言。

「〝やくみ〟です」

「え？　〝やくみ〟って何!?　〝くすりあじ〟じゃないんですか？」

「〝やくみ〟です」

「……」

薬味（やくみ）と言われてもチンプンカンプン。ちっとも意味がわからない彼女たちはさらに店員さんに質問。

「じゃあ、その〝やくみ〟ってどんな味ですか？」

「ん？？」

今度は聞かれたほうの店員さんが〝……〟。まったく会話が成り立ちません。

後で「薬味」の意味がわかった彼女たちは大爆笑。

「だって知らないんだから、しょうがないよね」

間違えたって恥ずかしいなんて思わない。知らないものは知らないからしょうがない。

「どうしようか？」

「店員さんに聞いてみる？」

「でも恥ずかしいじゃん、知らないの」

日本人は〝恥の文化〟と言われます。恥ずかしいか恥ずかしくないかが行動するかどうかの基準。とかく日本人は知らないことを人に聞くとなると「恥ずかしい」と思いがちで、ついつい遠慮してしまいます。

その点、彼女たちは知らないことを恥ずかしいなんて思いません。遠慮なく堂々と言えてしまう。

「くすりあじってどんな味？」

間違えたっていいから聞いてみる。自信を持って間違える。

「恥ずかしい」と思う気持ちをいったん置いてみることも必要かもしれません。

★ジェスチャーなしには話せないイタリア人

「イタリア語は歌のようだ」

イタリア語は〝リズムで話す〟と言われますが、イタリア語のイントネーションはメロディ。普通に話しているだけなのに、まるで歌っているかのように聞こえます。言葉そのものが音楽のよう。

イタリアの街を歩いていると、あちこちから歌が聞こえてくるように、イタリア人の日常にはメロディが溶け込んでいます。街中でオペラを上演していたり、カンツォーネを歌っていたり、音楽と生活が結びついている。

そうした環境の中で育っているからか、彼らの中にイタリア語はリズムとして体に刻まれているのだと思います。

感情表現豊かなイタリア人は体でリズムを取るように、表情も豊かにジェスチャーをしながら話します。まるで体の内側からリズムに乗って言葉が出てくるようなボディランゲージ。

その点、日本語はあまりイントネーションがなくて平坦な言葉。

「顔色一つ変えないで話す」などと言いますが、基本的に感情を乗せずに平坦に話す日本語は、無表情でジェスチャーもなしに話すことができます。これは日本語だからできること。

もしイタリア人に「ジェスチャーなしで話してみて」と言うとどうなるでしょう？

実際に試してみた人がいましたが、見事にしゃべれませんでした。腕を後ろに組んで話してみるのですが、どうしても会話に合わせて腕が動いてしまうのです。

それほどイタリア人にとってジェスチャーは重要な要素。会話なしでジェスチャーだけでコミュニケーションを取ることもあるほど表情豊かに身振り手振りを交えてリズムに乗って話すのです。

娘が高校生のときに、ジェスチャーなしでしゃべれるかどうかやってみました。

「はい彩来ちゃん、今から手を後ろに組んで話してみて。好きなこと言ってね。はいどうぞ！」

その瞬間、今までおしゃべりしていた娘の会話がピタッと止まってしまいました。

「無理！」

何度試してみてもジェスチャーなしでは思ったことが伝えられず、話がピタッと止まってしまうのです。

「どうしても無理！」

会話に関しては主人のイタリア人の血が濃く影響しているのか、娘は日本語を話すときでもジェスチャーをつけて身振り手振りで話します。娘にとっては言葉とジェスチャーは一緒。娘の体に刻まれたリズムなのです。

イタリア人がよくやるジェスチャーに、顔の前で指の先端を合わせて、自分に向けて〝コンコン〟とノックするような仕草があります。うちの主人もよくやりますが、イタリア人は誰でもするジェスチャー。

どういうときに使うかというと、誰かが何か言ったときに、

〝コンコン〟

言葉は発せずに身振りだけのボディランゲージ。

このジェスチャーの意味は、

「また～」「何言ってんだよ」「そんなのありえないでしょ」「ウソでしょ」

……みたいな感じのニュアンス。

「私、マリーアントワネットの生まれ変わりなの」

〝コンコン〟（またまた〜）

ちょっと呆れた、皮肉った感じでジェスチャーするとそれっぽくなります。

「何言ってんの！　そんなのおかしいよね」

そんな感じのノリで使うこともあります。

娘もよくやっています。私が何か言ったりすると、娘は「はいはい」とか「わかったわかった」みたいな感じで〝コンコン〟。

イタリア人は会話の中で自然にこのジェスチャーをしています。

感情表現豊かなイタリア人は会話でも表情豊か、ジェスチャー豊かです。

★自分の人生もドラマにして楽しむのがイタリア式

イタリアに行ってビックリしたことがあります。

まだ結婚前に主人の実家に行ったときのこと。主人には1つ違いの妹がいますが、イタリア人特有のストレートに感情表現する人なのです。私が実家を訪れていたときも、お母さんと口論になった妹は感情をむき出しにしてボロボロ涙を流したかと思えば、自分の思いをワーッと捲し立てる。何を言っているかまではわかりませんが、とにかく私がいることなど気にも留めずに感情をさらけ出しながら話しているのです。

もしこれが日本なら「人前なのに」と思われるところ。そもそも人前でそこまで感情を露わにすることなどめったにありません。いくら私がお兄さんの奥さんになる人でも、まだ結婚前で一応〝お客さん〟なのですから、日本の常識だとあり得ないことです。

「わぁ、イタリア人ってこんなに人前で感情見せるんだ」

イタリア人は彼女に限らず、人前だからと自分の感情を抑えることなく素直に表に出して自分の気持ちを表現する人が多いのです。

娘にもそうしたイタリア人特有の感情表現があります。

同じ音楽院に通う4つ上の彼氏ダビデと別れたときのこと。ダビデのほうから別れ話を持ちかけられ、娘がイタリアに留学して1年ほどで別れました。

「彩来は悲しいの！」

悲しいものは悲しい。自分の感情を隠さない娘は大泣き。

「泣くとすっきりする。泣いてるときは〝何で私はこうなんだ〟みたいに感情的になるけど、でもそう思うのが好き。そう思ってるほうが気持ちが楽になる。泣いたからそれはそれでいい。〝まあいいや〟と思えたら、すぐに吹っ切れて前に進める」

子供の頃から自分の感情を表に出すことで感情をコントロールしてきた娘は、ダビデと別れたときも思いっきり泣きました。

「彩来、どうしたの？」

友達同士の結びつきが強いイタリアでは、友達に何かあるとすぐに駆けつけます。同じ学校の友達はもちろん、わざわざ遠くから駆けつけてくる友達もいます。娘が彼氏と別れたことを聞きつけた友達が娘を慰めるためにミラノから電車で2時間以上もかけて駆けつけてくれました。

「ダビデと別れたの！」

友達みんなが見守る中で大泣き。その姿を見た友達も娘に声をかけます。

「大丈夫？」

周りの友達から声がかかると、本人もヒートアップ。

「え〜ん!!!」

まるで悲劇のヒロイン。彼との別れ話自体が悲劇のストーリーになってドラマティックに展開されます。オペラのように。

ここからは完全にフィクションです。オペラ仕立てでお送りします。

「ああダビデ！　どうしてあなたは別れようと言うの！」

どれだけ悲しいかということを泣きながらとうとうと訴えかけ、感情がそこに乗ってワンワン泣き尽くす。そしてさらにオーディエンスから声がかかる。

「ひどいわ、ダビデ！　ああサラが可哀想！」

ますます気分が高揚して、さらにテンションアップ！

「もう聞いて！　私はこんなに辛いの！」

「そうよね！」

ドラマです。失恋も一つのドラマ。そうやってドラマにすることで自分の感情を昇華しているのです。悲しさも寂しさも辛さも。

「だってママ、ドラマにしたほうが楽しいじゃん」

悲しいときは、みんなで悲しんでみんなでその悲しみを昇華する。楽しいことがあると、みんなで楽しさを共有してワイワイ楽しむ。嬉しいことがあれば、みんなで喜ぶ。

人生もドラマにしてしまうのがイタリア流。

イタリア映画に『Life Is Beautiful』（日本タイトル「人生は美しい」）という映画があります。戦争中に強制収容所に入れられたユダヤ人の父親が幼い息子を守るために、悲惨な収容所でも決して希望を捨てずに生きる。最後に息子と離れ離れになるところで、息子に心配をかけないように父親が息子を笑わせるシーンは涙なしには見られません。

その映画の原題がイタリア語で『la vita è bella』。

la vita è bella（人生は素晴らしい）

人生は素晴らしい。

そして人生は美しい。

みんなそれぞれが主人公。

だからイタリア人は自分の人生を大切にする。

自分の人生を楽しむのがイタリア流なのです。

イタリアの空はアズーロ！
―ライフスタイル―

2

2° Capitolo Il Cielo Azzurro italiano
― Lo stile di vita italiano ―

★古き良き時代の日本が残るイタリア

今から17年前、2006年1月——娘が4才のとき、下の弟がまだ2才になる前、私と子供たちはイタリアに移り住みました。日本で仕事がある主人を一人残して、半年間の移住生活です。

きっかけは、ある日突然、「そうだ、イタリアに行こう!」と思い立ったから。今振り返れば「子供たちを主人の故郷のイタリアに馴染ませたい」「イタリアの環境に置きたい」という気持ちもあったとは思いますが、そのときには「あ、行こう」と突き動かされた感じです。

「イタリアに半年間ぐらい行こうと思うんだけど、どう?」

主人に持ちかけてみると、すぐに賛成してくれました。

「いいね、行ってきて!」

たぶん主人は嬉しかったのでしょう。子供たちが日本の文化しか知らないで育つより、自分の母国のイタリアの空気や文化を吸収して欲しいという思いがあったのだと思います。

主人の実家はイタリアのヴェネト州にある小さな街ペデロッパ。プレアルプスの麓にあるこの街はブドウやブルーベリー、サクランボ、栗といった果実が豊かに実り、田園風景が広がる静かな田舎街。有名なイタリアのスパークリングワイン『プロセッコ』の産地の街も川を挟んだ隣町にあります。フランスでいうとシャンパーニュ地方のような感じ。私たちが移住した当時は、主人の実家の裏にも自宅用のワインを作るブドウ畑やサクランボの木がありました。

４人兄弟の長男の主人には、すでにお嫁にいった1つ下の妹とその下の弟、その下に17才離れた妹がいて、おじいちゃん（主人の父）はすでに亡くなっていたので、実家にはおばあちゃん（主人の母）、弟、末妹の3人で住んでいました。

日本と同じぐらいの緯度にあるイタリアは日本と一緒で四季があります。春は花が咲き、夏は海で遊び、秋は山々が紅葉し、冬は寒くて雪が降ります。

実家のあたりは２０２６年に開かれる冬季オリンピックの開催地のコルティナ・ダンペッツォまで車で2時間ぐらいのところ。アルプスから湧き出す水は綺麗で、美しい川が流れています。夏でも水が冷たくて、綺麗な水で育てられたラディッキオ・ロッソ・タルディーボやホワイトアスパラなどの野菜も美味しく、天の恵みがいっぱい。豊かな自然に囲まれている土地です。

寒かった冬が終わり、少しずつ春の気配を感じる3月になると、春の訪れとともに水仙がニョキニョキとあちこちに生えてきます。お花好きのノンナ（おばあちゃん）は自宅の周りにお花を植えていて、春になるとその水仙を摘んで花束にしてノンノ（おじいちゃん）のお墓参りに行きます。

イタリアの墓地はお墓が整然と並んでいて、その周りに整備された砂利が敷かれていてとっても綺麗。イタリアは土葬なのでお棺を燃やさずそのまま入れて埋葬します。火葬の日本と比べて一人一人の墓地の広さが大きくて、そこに立てられた墓石には名前が刻まれ、生前の写真も飾られています。お墓にある花瓶に水仙の花束を活けて、ノンノにご挨拶するのです。

イタリアの家は石造りです。日本と違って湿度が高くなくカラッとしているイタリアでは日本のような木の家はありません（北部のスイス、オーストリア国境あたりにはロッジ風の木の家もあります）。壁も石やレンガ、床は石かタイルでできていて、家の中は夏は涼しく、冬は暖かい。夏は日本のように35℃になることも当たり前にありますが、家の中が涼しい北イタリアの家庭にはあまりエアコンが付いていません。せいぜい扇風機があるだけ。窓は特徴がある出窓で、壁の厚さ（50～60㎝）ほどの広さのある出窓のところに綺麗に花を飾っています。

主人の実家では鶏を飼っていて、料理でニンジンやジャガイモを剥いたときに出た皮は捨てずにとっておき鶏の餌にします。肉の脂身は飼い犬のシロの餌に。野菜も肉もほぼゴミが出ないエコ生活です。

5、6羽いる鶏は檻の中を自由に歩ける平飼いで、生まれたての温かい卵は美味しくいただきます。卵がたくさん産まれたときにはご近所さんにおすそ分け。ご近所さんも自宅で採れたジャガイモやタマネギなどの野菜をおすそ分けしてくれます。ドアノブのところにかけてあったり、出窓の窓枠のところに置いてくれたり。郵便配達の人も顔見知りで、バイクでやって来た郵便屋さんが出窓を〝コンコン〟とノックして、そこに郵便を置いてくれます（出窓が開いていなければポストに）。まるで昭和の日本の懐かしい風景を見ているよう。

地元の人たちとの近所づき合いが頻繁で、近所の人たちと助け合いながら生きているイタリア人は、家族も大事にするし、地域の人同士も仲がいい。昔の日本にあったご近所づき合いがまだあります。日本ではすっかり失われてしまった、古き良き時代の日本がイタリアにはまだ残っているのです。

★イタリア人に根付いたカフェ文化

イタリアの朝は教会の鐘の音とともに始まります。どんな小さな村にも必ず教会があって、その周りにピアッツァ（広場）があります。

朝の6時ぐらいになると教会の鐘が♪ディンドンディンドン♪と鳴り響き、朝を告げる鶏のコケッコッコーの鳴き声と小鳥のさえずり、そして窓から入って来る柔らかい朝日で目覚めます。

私たちが移住した1月は寒い冬。石造りで暖が逃げないイタリアの家とはいえ冬の朝は冷えます。一番早く起きるノンナは、朝起きるとまず薪を取ってきて、キッチンにあるかまどに火を起こして部屋を暖めてくれます。イタリアでは広く家庭に行き渡っているセントラルヒーティングもありますが、主人の実家のキッチンには今でもかまどが残っていて、倉庫に積んである薪を取ってきて火を起こし、お湯を沸かしたり料理をしたりしているのです。

イタリア人の朝は、だいたいカフェラッテとビスケット。カフェラッテに浸したビスケットを食べながらカフェラッテを飲む。ビスケットの種類も豊富で、小麦粉と牛乳と砂糖で作られた素朴でとっても美味しい味。家で朝食を摂らない人は、バール（軽食も食べられるしお酒も飲めるカフェ）に立ち寄って、カプチーノとクロワッサン。昼はエスプレッソ。カップにちょっと残ったエスプレッソにグラッパ（イタリア特産の蒸留酒で食後酒）を少し注いでカップをゆすぐようにして混ぜて、それをキュッと飲んで仕事に行く。気つけ薬みたいに飲む人も見かけます。

イタリアはEUに加盟して、通貨がリラからユーロに切り替わったときに物価がそれまでの倍ぐらいに跳ね上がりました。でも唯一物価が変わらなかったのがカフェの値段。ミラノやヴェネチアなどの観光地は別として、昔も今も1ユーロ（約150円）～2ユーロ（約300円）ぐらいでコーヒーが飲めます。

カフェには店内の席だけでなく、店の外のアウトサイドにも席があって、それが一つの景色になっています。それだけイタリア人に根付いているのがカフェ文化です。

イタリアの街には必ずどの街にもメルカート（朝市）があります。「この町は何曜日」と決まった曜日にメルカートが開かれて、その曜日になると決まった広場（ピアッツァ）にテントを張り、朝市が始まります。

日本のマルシェの大型版のような感じで、車社会のイタリアは行きたいメルカートに行って買い物するのが一般的。メルカートでは野菜、果物、洋服、靴、カーテン、ベッドカバー、お花……日用品から食料品、衣料品に至るまで生活用品はほぼ揃っていて、値段も安くて新鮮なものがたくさん売っています。

主人の実家から街の中心にあるメルカートまでは歩いていける距離ですが、ノンナ（おばあちゃん）の生まれた街のヴァルドビアーデネ（プロセッコで有名な街）のメルカートに行くときは大きな川を越えて車で15分ほどかかります。

このヴァルドビアーデネのメルカートは比較的大きな市なのですが、おばあちゃんと行くと大変です。そこらじゅうでお友達と会うので、10メートル行くたびにおしゃべりが始まります。そうなると買い物どころではなくなって、おばあちゃんのおしゃべりが終わるのを待つしかありません。

メルカートはご近所の皆さんが交流するコミュニケーションの場。買い物だけでなく、おしゃべりを楽しむ場でもあるのです。

メルカートで買い物が終わると、広場のカフェに寄って、カプチーノを飲んだりジェラートを食べたりしながら、またおしゃべり。仕事がないおばあちゃんやおじいちゃんたちはカフェでまったりしながら集うのが日課。午前中はそうやってメルカートやカフェでゆったりとした時間を過ごします。イタリアにはそうしたメルカートやピアッツァのようにみんなが集まってコミュニケーションを楽しめるような場所があります。

「ジェラート食べにピアッツァに行こうか」

大人も子供も広場に集まっておしゃべりしたり遊んだり。何となくみんなが広場に集まって繋がりができる。日常の中に人と人との繋がりがあって距離が近いのがイタリア。広場やカフェはみんなの社交場となっているのです。

昔の日本もそうでした。広場にみんなが集まってコミュニケーションを取ったり、人と人が繋がっていました。でも今の日本は広場がなくなってしまいました。寂しいことにみんなが集まるソーシャルな場がなくなってしまった。昔と比べて日本人同士の繋がりがなくなってしまったのは、そうした原因もあるのだと思います。そして追い討ちをかけるように、コロナ禍で人と会わないことを推奨されたため、人との距離はますます遠のいてしまったのが今の日本の現状です。

時を戻せるなら、昔良き懐かしい時代を覗きに行きたいものです。

★時間の流れがゆったり感じるイタリアの〝集合意識〟

イタリアに行くと毎回感じることがあります。それは、一日の時間の流れがゆったりと感じられるということ。

日本だと朝起きて気がつくとお昼、まごまごしているうちにすぐ午後3時とか4時。あっという間に「もう夕方?」と夕食の準備を始めなければいけない時間になっていて、「今日一日、私何やったかかな?」といつもクエスチョン状態。一日が本当にあっという間に終わってしまいます。

それがなぜかイタリアだと、ふと時計を見たとき、「え、まだ午前中なの!?」「まだ11時?お昼までにまだ何かできるじゃん」……みたいな感じ。特に夏場はサマータイムで夜10時ぐらいまで外が明るいので、なおさら一日が長く感じます。イタリアでは本当に時間の流れがゆったりとしていて、充実した毎日を送れます。

「この違いは何だろう?」

なぜ日本とイタリアで時間の流れがこうも違うのか、私自身も不思議でした。

「日本だと仕事もあったりいろいろやることがあるけど、イタリアはバカンスで行ってるからそう感じるのかな?」と考えたりもしました。

でもそれだけではない気がします。何かもっと根本的な違いがあるような……。

そこで私がたどり着いた結論が「集合意識」。

英語では「consciousness（コンシャスネス）」と言われる「集合意識」は「共同意識」とも呼ばれ、「一つの社会や集団に共有された意識」のことです。その集合意識は現実に落とし込まれるといいます。

日本では〝仕事をしてなんぼ〟〝忙しいのが美徳〟のようなものが日本人の意識のどこかにあるように思います。「今日は忙しいから時間がない」というように「時間がない」というのがみんな口癖のようになっています。その〝時間がない〟のが日本人の集合意識になっているので〝時間がない〟という現実が作られてしまう。その現実の中で暮らしていると、誰もがあっという間に時間が過ぎてしまう。

ところがイタリアでは「時間がない」と口にする人はめったにいません。イタリア人は〝時間を楽しむ〟ことに長けています。お昼の時間も日本と比べてずっと長く取ります。

お昼の時間が長いのは、単にお昼ご飯を食べるためだけではなくて、そこでコミュニケーションを楽しんでいるから。日本のようにランチタイムも仕事の合間に一人で黙々と食べて「はい終了！　また仕事」みたいに時間に追われるようにして食べるのではなく、食事も楽しむし、仲間や友達とのコミュニケーションも楽しむ。それがイタリア人の流儀。

観光地といえども、スーパーでもショップでもお昼になると店が閉まって、お客さんが来ようと3時ぐらいまで開きません。それだけランチタイムを大事にしているのは、自分の時間を凄く大切にしているから。「この時間は私のもの」という思いが強いのです。

その根底にあるのは「人生を楽しむ」という生き方。

イタリアではみんな「人生を楽しむ」という集合意識が働いているので、イタリアにいると自分も「一日を大切にして楽しむ」流れになっているのです。だから時間の流れがゆったり感じられる。そうした現実が作り出される。

もちろんイタリア語にも「忙しい」という表現はあります。

男性は「Sono occupato(ソノ　オキュパート)」、女性は「Sono occupata(ソノ　オキュパータ)」。

でもあまり使わないし、イタリア人から「忙しい」という言葉をあまり聞いたことがありません。

「忙しい」という文字は「心」を「亡くす」と書きます。〝言霊〟という言葉があるように、自分の言葉は自分に戻ってきて現実化します。だから「忙しい」が口癖の人は〝心を亡くす〟からやめたほうがいい。

もし自分が好きなことをしていたら、没頭して時間が過ぎたとしても「忙しい」とは言わないと思うのです。仕事も没頭するくらい楽しむことができたら、その時間は「忙しい」のではなく、「充実した時間」になるのです。

だから楽しむことに長けていて、仕事も人生の一部として楽しむことができるイタリア人は「時間がない」という集合意識が存在しない。

もちろん日本人にも素晴らしい集合意識はあります。「時間に遅れてはいけない」と時間を守る意識。「ルールを守ろう」という規範遵守の意識。その他にも日本人だからこそ誇れる集合意識はあります。「おもてなし」もそうですね。このおもてなしの時間は日本が誇れる集合意識だと思うのです。

どちらが良い悪いではないですが、もっとイタリア人のように自分の時間を大切にして楽しむことができれば、きっと日本でも時間がゆったり流れるようになるのでしょう。今よりもっと充実した一日を送れるのではないでしょうか。

★トランプでコミュニケーションを取るイタリア式交流術

イタリアの夏はサマータイムが導入されているので、時間が通常より1時間早くなります。たとえばサマータイムの夜7時は実際は夜6時と同じなので日が長くなります。夜10時ぐらいまで明るいのはこのためです。

学校は6月の前半には終わって8月まで夏休み。子供たちはたっぷりと2か月半の夏休みを楽しみます。

夜が長いので午後4時ぐらいに少しお昼寝をして8時ぐらいに夕ご飯を食べたら、そこから外に出て遊ぶ。友達の家に行ったり、親戚の家に行ったり、夜中の12時ぐらいまで遊びます。小学生でも全然平気。夏休み中は「早く寝なさい」とも言われません。夏はあちらこちらで何らかのフェスタがあるので、それに出かけることもあります。

夏場は夜が長いイタリアですが、朝はみんな早くから動き出します。朝8時といえばお店が開きます。7時ぐらいから開いているお店もあって、パン屋さんだと6時からオープンしているお店もあります。日本だと9時、10時ぐらいからオープンするお店が多いところ、イタリアの朝は早いのです。

学校も早く始まります。朝8時には授業が始まります。早く始まるのでお昼の1時ぐらいでおしまい。午後の授業はありません。高校生や大学生になると別ですが、小学生、中学生は午後の授業はなくてお昼は家に帰って食べます。

いくら午後は授業がないとはいえ、朝8時から始まるのですからお腹が空きます。そこでイタリアの小学生、中学生はちょっとお腹が空いてきた10時とか11時頃に食べるようにスナック（軽食）を持っていきます。授業の合間に軽くつまめるパニーノやフルーツなどを持っていって、それを食べて1時ぐらいまで授業をして、帰ってきてから家でマンマのご飯。それがイタリアの小学生、中学生の日常です。

夏場は夜ご飯を食べた後に庭に出て、庭のテーブルでトランプをすることもあります。

イタリア人はみんなトランプ好き。かつて日本でも家族でトランプをしたように、イタリアは今でもファミリーでトランプをよくします。親戚の家に遊びに行ったり、友達の家にお呼ばれしたときも、ご飯を食べ終わった後に「トランプする？」となって、みんなでトランプしながらコミュニケーション。

イタリアではお呼ばれした食事会の席でも、着いてすぐには食事が始まりません。まずはナッツを摘まんだりして食前酒を飲みながらおしゃべりする時間があります。それがアペリティーボ。料理ができるまでの間に楽しいおしゃべりをしたりしてコミュニケーションを取るのがイタリア式です。ご飯になる前のアペリティーボでも「1ゲームやる?」とトランプが始まることもあります。

イタリアのトランプは2組で1セット。ケースに入って2組1セットにして売っています。ゲームは日本にはないイタリア式ルールのゲームで「スカラ・クワランタ」や「ラミーノ」などがメジャーなトランプゲーム。かなり頭を使う複雑なゲームで、日本でよく遊ぶババ抜きや七並べ、神経衰弱などのゲームはあまりやりません。

ファミリーで遊ぶだけでなく、バールでお酒を飲みながらおじさんたちがトランプしているのを見かけることもあります。

なぜあんなにイタリア人がトランプ好きかはわかりませんが、トランプでコミュニケーションを取るのもイタリア流です。

★イタリア人はおしゃべり大好き

娘は日本からイタリアに戻ったとき、「イタリアは賑やか」に感じるといいます。

「イタリアは空港から賑やか。乗客同士でおしゃべりしてるし、空港のスタッフと乗客もペチャクチャ話してるし、知らない人同士でも平気で話します。賑やかな空港に降りた途端に〝ああイタリアに来たなぁ〟って思う」

それが娘の感想。

とにかく誰とでも賑やかに会話して、おしゃべり好き。

電車の中も賑やか。日本だと車内でうるさくしないのがマナーですが、イタリアは車内だろうと関係なし。たまたま乗り合わせた知らない人同士でおしゃべり。まわりの乗客も気にするどころか、そっちはそっちでおしゃべりしているので車内がうるさくても誰も気にしません。

知らない人にも気軽に話しかけます。娘は電車の中で「一緒に盛り上がろう！」と、知らない乗客からビールまで差し出されたことがあるとか。

私もイタリアから帰ってきて新幹線に乗ると「お通夜みたい」と感じることがあります。

あまりの静けさになじめないのです。

イタリアはスーパーも賑やかです。

ノンナと一緒に地元のスーパーに行くと大変です。お会計するキャッシャーのところでおしゃべりが始まります。キャッシャー担当の人が知らない人でも平気で話しかけます。

お会計でお財布を探しながら、

「お財布が見つからないのよ」

……みたいな話から始まって、

「この前犬にバッグを噛まれたから新しいバッグにしたのよね」

なんてどうでもいいおしゃべりを延々と。

またその話に乗ってくる周りの人々。

「え、そうなの？　そのバッグ新しいの？」

……なんて話がちっとも終わらない。

これが日本だとイライラして後ろに並んでいる人から「早くしろ！」と怒られますが、誰も文句を言わないのがイタリアらしい。何しろ後ろで待っている人たちも気にせずおしゃべりして、知らない人同士あちこちでおしゃべりが始まります。だから誰も気にしません。

整然と列に並んで待っている日本だと考えられませんが、イタリアではそれがごく当たり前の光景。

日本のことわざにある「沈黙は金なり」なんて言葉とは一切無縁。根っからのおしゃべり好きなのがイタリア人です。

北イタリアには、そんなおしゃべり好きな人のためのお菓子があります。

その名も「chiacchiere（キアッケレ）」。

イタリア語ではおしゃべりすることを「chiacchierare（キアッキエラーレ）」と言いますが、それが語源となっている「キアッケレ」。

パスタの生地を薄く伸ばして油で揚げて粉砂糖を振りかけた素朴なお菓子です。

ヴェネチアのカーニバルのときはこのキアッケレを食べて、おしゃべりや仮装に夢中になるのです。

★イタリアの夏はあちこちで音楽がいっぱい！

イタリアの夏はあちこちで音楽がいっぱい。毎日どこからか音楽が聞こえてきます。

街中で音楽を奏でる人もいれば、野外ホールでのフェスや室内シアターでのコンサート、ストリートミュージシャンもいれば、バンドや楽団もいて、インドアでもアウトドアでも至る所で音楽が奏でられ、クラシックからジャズ、歌や楽器、ジャンルを問わず、様々な音楽が聞こえてきます。街が主催している音楽フェスも毎日何かしら開かれていて、街を歩けばどこからともなく音楽が聞こえてくるし、家にいても窓から音楽が聞こえてきます。日常的に音楽に親しんでいるのがイタリア人の生活なのです。

3才からヴァイオリンを習っていた娘は半年間の移住生活のときにヴァイオリンを持っていきました。イタリア人の先生について週1回レッスンを受けていた娘に先生が声をかけてくれました。

「今度コンチェルトがあるから、サラも出ましょう！」

コンチェルトは日本でいうコンサートのようなもの。ヴァイオリンを始めてまだ1年ぐらいで、やっとヴァイオリンに毛が生えた程度です。とても人前で弾けるような腕前になっていない娘に先生はそう言ってくれました。

「出ましょう！　やってみましょう！」

先生が声をかけてくれたのは、いろいろなところの音楽教室の先生が自分の生徒を出演させる合同コンサート。親とすれば「ちゃんと弾けるだろうか」と不安な気持ちもありましたが、物怖じしない娘はたくさんの観客がいる前でも緊張せずに堂々と演奏してみせました。

娘は17才のときにもイタリアでコンチェルトに出演し、ステージで初めてオペラを歌いました。

高校1年のときにオペラの道を志し、イタリアの国立音楽院に進学を希望していた娘ですが、オペラは誰かについて習ったことがありません。ＹｏｕＴｕｂｅを見て覚えた独学。オペラを本格的に勉強しようというのにそれではいけないだろうと、主人が探してくれたのが主人の実家の近くにあるオペラ教室。

イタリアでは何かを始めるのに年齢は関係ありません。「やりたい」と思ったときに始めればいい。仕事をしていようが何才だろうが関係なし。働きながらオペラをやりたい人が学ぶオペラ教室のサマーコースでイタリア人の先生について初めて本格的な指導を受けました。先生のピアノに合わせて歌う個人指導。オペラではただ歌い上げるのではなく感情をいかに乗せるかが大事です。これもイタリア人の血なのか、娘は先生の指導を受けたことでより感情表現が豊かになり、歌が上達するようになりました。

2ヵ月間に渡るサマーコースの最後の仕上げとして開催された発表会。そのステージで娘は本場イタリアで初めて舞台に立ってオペラを披露しました。

発表会で娘が歌ったのは『Una donna a quindici anni (女も15になったら)』というモーツアルトのオペラ、コジ・ファン・トゥッテのアリア。〝15才の女性〟のことを歌った有名な歌です。

ステージに上がった娘は先生から紹介を受けました。

「17才の日本から来た女の子が15才の歌を歌います！」

娘の発表会が開かれたのは、日本でいう〝公会堂〟のような地域に根付いた劇場。ステージがあって、客席があって、ステージのピアノの伴奏でオペラを歌い上げました。

イタリアでは小さな劇場から大きな劇場まで、こうした劇場がたくさんあります。ヴェローナのアレーナ（円形劇場）のような大きな野外劇場もあるし、街中の道端でオペラを演じている人もいます。劇場に入らなくても毎日どこからか歌が聞こえてきます。教会の鐘の音があり、歌があり、街全体が音楽で溢れています。当たり前のように音楽がある。日常の中に芸術が溶け込んでいるのがイタリアです。

★イタリアの空は〝アズーロ〟!!

イタリアにはイタリア人でしか出せない色があります。たとえば日本でも有名な洋服メーカー『ベネトン』(Benetton)の色使い。

1965年に、主人の実家があるヴェネト州のトレヴィーゾで設立されたベネトンは、イタリア特有のカラフルで明るい色使いが特徴です。特に子供服は、たとえば黄緑に紫とピンクを合わせたり、ベネトンのあの独特で鮮やかな色使いは、日本の洋服メーカーでは出せない配色です。

車でもフェラーリの赤、ロッソ・フェラーリは有名ですね。フェラーリの赤色はいくつも種類があるそうです。

イタリアの子供たちが描く絵もカラフルで明るく大胆な色使い。日本の子供たちの描く絵とはまったく異なる色使いです。その根底にあるのは、イタリアという国の風土。イタリアの豊かな環境が醸し出している色。

ところで〝Azzuro(アズーロ)〟という色をご存じですか?

アズーロは「青い」という意味です。「ブルー」も「青」ですが、「アズーロの青」と「ブルーの青」は違います。

日本にも「群青色」や「藍色」という色があって、青は青でも普通の青とは違う日本独特の〝ジャパンブルー〟のような青を表す表現がありますが、イタリアの「アズーロ」も〝ジャパンブルー〟と同じようにイタリア独特の色。

イタリアサッカー代表チームのことをAzzurri（アズーリ）と呼びますが、代表チームのユニフォームの色が青いことに由来しています。イタリア国旗に青色は使われていませんが、それでもユニフォームを青にするということは、青はイタリアにとって何か特別な色であるはず。表現するならば「イタリアンブルー」。

青（blu）とも違い、水色(celeste)よりももっと濃い青、それがアズーロ（azzuro）。

イタリアを象徴する色です。

アズーロ色の海と空は私をあっという間にイタリアへ誘います。

「アズーロ」を思うとき、私の中ではある曲のメロディが流れます。

♪Volare oh oh Cantare oh oh oh oh♪

♪Nel blu dipinto di blu felice di stare lassù♪

♪ボラーレ　オーオ　カンターレ　オオオオ♪
♪ネル　ブル　ディピント　ディ　ブル　フェリチェ　ディ　スタレ　ラス♪
「飛んでる　歌ってる
青く塗られた青の中で　幸せな気分」

昔ビールのＣＭでも使われた世界的に有名なイタリア歌曲（カンツォーネ）『青く塗られた青の中で　Nel blu dipinto di blu』。

皆さんも一度は聞いたことがあると思いますが、イタリアの濃くて美しい「アズーロ」を思い浮かべるとき、私の中でこの曲がいつも流れます。

「イタリアの空はアズーロ!!　～Nel blu dipinto di blu♪」

★イタリア人は傘を差さない

イタリアは国土の広さは日本と同じぐらいですが、人口は日本の1億2千5百万人に対して約半分の5千9百万人。日本と同じ程度の広さの国に、日本の半分程度の人が暮らしています。

共和国のイタリアは、もともと小さな国（地域）が集まってできた国。ローマから北と南で住んでいる人たちの気質もまったく違います。一言で言うと、北は「真面目で働き者」、南はストレートに言えば「いい加減であまり働かない」。もちろんみんながみんなそうではありませんが、一般的にはそう言われています。

イタリアはそれぞれの地域で文化や言葉、食事も異なります。もともと文化の違う人たちがイタリアという国として統一されたのですから違いがあって当然。いろいろな地域にその地域特有の言語があります。日本で言う〝方言〟のような感じですが、単語自体が違うのでまったくわからないこともあります。ヴェネト語、ナポリ語、シチリア語などの言葉があり、「ヴェネト語辞典」まであるほど、各地域で話す言葉が異なります。

テレビのアナウンサーなどが話す〝共通語〟と言われるイタリア語は「フィレンツェ」

あたりの言葉。イタリア人はみんな共通語を話せますが、地域の人同士で会話していると方言になります。日本でも鹿児島弁を聞くと「あの人、鹿児島の出身だ」とわかるように、イタリア人も方言で出身地がわかります。

日本語にある〝流行語〟のような言葉はイタリア語にはありません。いわゆる〝ギャル語〟に代表されるような〝若者言葉〟のようなものもありません。若者もお年寄りも同じ言葉を話しています。

南北に長いイタリアは車窓から見える景色も違います。南に位置するナポリやシシリア、カンブリアなどは青い海が広がり、北のスイスやオーストリア国境のアルプス地方の街ではアルプスの山並みが広がり、チロル系の街並みになり、ロッジ風の家が建っています。

主人の実家があるのは北部ヴェネト州のプレアルプスの麓の街。アルプスから流れ出す水は澄んでいて、空気も綺麗。夏は暑くて冬は雪が降ります。アルプスの麓にある土地柄、天候が変わりやすいのが特徴で、普段あまり雨が降らないイタリアですが、主人の地元ではいきなり雨になることもあります。

雨どころか突然雹《ひょう》が降ってくることもあります。それも5センチ近くもある大きな雹。特に夏場に多いのですが、アルプスからの冷たい風に乗ってやってきた雲が突然空を覆いつくしたかと思うと雷が鳴りだし、あっという間に天気が豹変。空から大きな雹がバタバ夕と音を立てて降り注ぎます。

　雹が降り始めると、みんな一斉に家の中に避難。外に車を出していた人は慌てて一時的に車を屋根の下に避難させます。万が一、雹が当たろうものなら大変。車がボコボコになって窓ガラスが割れることもあります。日本でも最近はゲリラ豪雨や線状降水帯の発生で大雨になることがありますが、イタリアでは雷が鳴って大きな雹が突然降ってくるのです。それでも地元のイタリア人たちは慣れたもの。雲行きが怪しくなると途端に避難します。

　それだけ大きな雹になると傘を差していても役に立ちませんが、そもそもイタリア人は傘を差す習慣がありません。日本のようにザーッと雨が降ることが少なく、しとしと降ることが多いので傘を差さなくても平気だという事情もありますが、ただ単に持つのが面倒くさいし、歩きながら傘を持つと会話の邪魔になる、意外と現実的な理由なのかもしれません。

　もちろん、日傘なんて差している人はほぼいません。日傘を差す日本人を見て、雨でもないのに傘を差しているのを不思議に思うそうです。そもそも夏は日焼けすることがカッコいいと思っているイタリア人ですので、日傘で日光を遮ることはナンセンスなのです。

★ペットショップがないイタリアの〝自然流ペット事情〟

主人の実家には犬がいます。白い雑種犬。娘が4才のときにイタリアに移住したときからいるので、もう15才はとっくに超えているおじいちゃん犬。

名前は「シロ」。

主人の17才下の妹のアリアンナが名付け親。てっきり白い犬だから「シロ」と名付けたのかと思ったら違いました。シロの〝シロ〟は、『北斗の拳』の主人公「ケンシロー(拳四郎)」の〝シロ〟から取ったもの。

イタリアの子供たちは日本のアニメを見て育ちます。フランスで日本のアニメが人気でコスプレイベントなどのアニメ文化があるのは有名ですが、イタリアも同じ。週末になると日本のアニメがTVでオンエアされ、子供たちはそれを見て育ちます。『クレヨンしんちゃん』も『ドラえもん』もイタリアの子供たちは日本のアニメが大好き。おもちゃ屋さんにはアニメのキャラクターがついたグッズがたくさん売っていて子供たちに大人気です。子供の頃から日本のアニメに慣れ親しんでいるイタリア人は、アニメを通しても日本に親密な感覚を持っているのです。

主人が子供の頃に熱中して見ていたアニメが『北斗の拳』。当時イタリア人の男の子たちの間では『北斗の拳』や『ドラゴンボール』が人気だったそう。土曜日の夕方になると、主人は1つ下の妹といつもケンカしていたそうです。

「北斗の拳!」「キャンディキャンディ!」

ちょうど同じ時間帯に『北斗の拳』と『キャンディキャンディ』が放送されていたため、妹と毎週チャンネル争いしていたとか。昔の日本の家庭でも展開されていた光景がイタリアでも展開されていたのです。

犬というと日本ではペットショップで買うのが一般的になっていますが、イタリアでは犬は誰かからもらうもの。もちろんシロも知り合いのところで生まれた子犬をもらったもの。シロの子供たちもたくさん生まれましたが、欲しい人たちにみんな譲りました。イタリアでは犬をペットショップで買うような習慣はないのです。

「犬をお店で買うの!?」

主人が日本に来て驚きました。そのうえ何十万円もする高価な犬もいます。イタリアではあり得ないこと。そもそもペットショップ自体イタリアでは見かけません。日本のように高いお金を払ってペットショップで買うのではなく、自然に生まれた子犬をもらう。昔の日本もそうでしたが、イタリアでは今もそれが普通なのです。

★〝イタリアは治安が悪い〟はホント？

ここ数年、日本では様々な事件が起きています。殺人事件のように世間を賑わせる事件が毎日のように起きてニュースになります。次から次に起きるので、大きな事件でさえ少し時間が経つと忘れてしまうほど日常茶飯事になっているのが日本。そんな日本の異常なほどの事件の多さにイタリア人の主人は嘆いています。

「こんなに事件が起きるなんて今の日本はおかしい」

イタリアでは大きな事件はほとんど起きません。特に〝殺人事件〟は本当に稀です。殺人事件が起きたら一大事。とんでもない大事件としてイタリア中のニュースになって国中が大騒ぎになるほど。イタリアの事情を知らない人は「イタリアは治安が悪い」イメージがあるかもしれませんが、そんなことはありません。小さな犯罪は起きますが、大きな犯罪、特に殺人となるとめったに起きません。

その理由は、イタリア人は人を殺してしまうほど追い込まれないからだと思っています。友達だったり家族だったり、何かあると周りの人たちが気にかけてくれるので、そこまで気持ちが追い詰められたりしないのです。泣いている子供がいれば「どうしたの？　大丈夫？」と、見ず知らずの人でも必ず声をかけて心配してくれます。周りの社会全体が自分のことを気にしてくれるのがイタリアという社会。

私がロンドンに留学していたときにも、何かあると心配して最後まで面倒を見てくれたのはイタリア人の友人でした。あとはスペイン人。彼らは友達に何か困ったことがあると、まるで自分のことのように心配してくれるのです。その点冷たいのがフランス人。プライドも高いフランス人は自分のこと以外は我関せず、「他人のことは他人事」という感じでした。

イタリアというと〝マフィア〟のイメージ。裏社会ではいろいろと蠢《うごめ》いているかもしれませんが、表立って一般人に何かするようなことはありません。イタリア人は本当にフレンドリーで親切なのです。

イタリアが治安の悪いイメージの一つには〝スリ〟があります。イタリアに旅行するときに「イタリアはスリが多いから気をつけたほうがいい」と注意された方もいるでしょう。

実はスリを働いているのはイタリア人ではありません。ほとんどがジプシーの人たち。アフリカから海を越えて一番入りやすい国のイタリアには、難民が多く押し寄せています。EUの難民の玄関口はほぼイタリア。南の海沿いのシチリアなどには簡単に入ってこられます。そうしたイタリアに留っている難民たちは言葉もできない、仕事もない。そうなると誰かから盗むしかありません。イタリア人は彼らのことを「モンテネグロ」（黒い人たち）と呼んでいますが（あくまでもイメージで）、イタリア国内では大問題になっています。特に港町は大変です。不法侵入が毎日のように続いていて治安がどんどん悪くなっていく一方。ひと昔前までは治安が良かった地域が治安悪化して問題になっています。

かつてはいかにも〝ジプシー〟の恰好をしていたので見分けがつきましたが、今は彼らも普通の身なりをしていて外見からは見分けがつきません。さらにイタリアの法律では「妊婦は拘束してはいけない」という条項があり、それを逆手に取って妊婦がスリの実行犯になったりします。万が一捕まっても実行犯が妊婦では拘束できないため、すぐに放免。捕まってもすぐに出てきてまたスリをします。スリのためにわざと妊娠する女性もいるほど。生きるために文字通り〝体を張って〟犯罪を犯しているのです。

最近気をつけなければいけない手口があります。これもイタリア人ではなく移民の人たちの手口ですが、難癖つけてお金を取ろうとするのです。

たとえば日本でもよく見かけますが、道の脇の地面に写真やアートなどを置いて売っている露店。彼らはそれを混雑した道端に置くのです。たくさんの歩行者が行きかう混雑した道だと誰かしら踏んでしまう人が出ます。誰かが踏むと「お金を払ってくれ」と言ってお金を取ろうとする。そういう犯罪が増えています。

昔は日本にもよくいた靴磨きですが、イタリアでは今でも道端に普通にいます。靴を置く木の箱の台を持って靴磨き用のブラシを持って、どこにでもいる靴磨きですが、その靴磨きを装った犯罪も増えています。通行人が目の前を通ったときに、わざとブラシをその人の前に落とします。「落としましたよ」と親切に拾ってくれた人に「じゃあ靴磨いてあげる」と言って磨いたらお金を請求される。それも50ユーロ（約7500円）も。

ブレスレットを投げてキャッチさせて「それあげるよ」と言った後に「やっぱり10ユーロ（約1500円）ちょうだい」なんていう引っかけ犯罪もあります。実際に娘がヴェネチアのバーで遭ったのが、ネックレスをジャラジャラといっぱいかけている人がお店の中まで入ってきて、「これタダであげるよ」と首にかけられそうになったこと。そこで受け取るとお金を要求されるので絶対に断らないといけません。イタリアでは今、こうした詐欺まがいの犯罪が増えているのです。

かつてのイタリアは治安が良くて平和でした。人々は陽気で親切。女性でも安心して路地裏を歩けました。でも今はミラノとかローマのような大都会は女性の夜の一人歩きは危険です。

かつては安全で平和だった日本が変わってしまったように、イタリアもかつての治安が良い平和な国ではなくなってしまったようです。

イタリアの幼稚園はフルコース！
―イタリア人のアイデンティティ―

3

3° Capitolo Pranzo completo all' asilo Italiano
– Identità Italiana –

★〝食〟はイタリア人のアイデンティティ

イタリア人のアイデンティティとして確立しているのが〝食へのこだわり〟です。
イタリア人は「自分の国の食事が世界で一番美味しい」と信じて疑いません。自分たちの食に対して誇り高いのです。日本人が「和食が世界で一番美味しい」と思っているのと同様に、「世界で一番美味しいのはイタリアの食事」だと思っています。

食にこだわりを持つイタリアでは、小さい頃から食を通して食の大切さを教える〝食育〟が取り入れられています。しかし、日本のように〝食育〟という名目を立てているわけではなく、食事の時間が自然と〝食育〟となっているのです。

イタリアに移住したときに驚いたのが、娘が通う幼稚園の食事の時間です。食を通じてコミュニケーションを取るイタリア人は、食事の時間をたっぷり取ってゆっくりと楽しみます。

メニューは前菜から始まり、パスタやリゾット、次にメインとサラダ。日本だとサラダは最初に食べますが、イタリアではサラダはメインの付け合わせのような感じでメインと一緒に食べます。メインの後はドルチェ（デザート）。それがコース料理の定番です。

このコースメニューが幼稚園でも用意されています。前菜が3〜4品あって、パスタとリゾット、メインはお肉かお魚、それにドルチェまで。

用意されたフルコースの料理の中から、子供たちは好きなものを自分で選んでプレートに取ってもらって食べるのです。

日本の幼稚園の給食では考えられないような豪華な食事。食事時間も1時間ほど取られていて、ゆっくりと食事を楽しむイタリア流が幼稚園から取り入れられています。

食事の時間は先生たちもゆっくり過ごします。食事した後はドルチェを食べて、カフェを飲み、子供たちを見ながら先生同士でおしゃべりしたり、ギターを弾いて歌ったり。

これも自分の時間を大切にして人生を楽しむイタリア流。幼稚園でもゆっくり時間が流れています。

〝食〟に関してこだわりがあるイタリアは、食材の品質を守るために徹底した管理をしています。

日本では今当たり前のように出回っている遺伝子組み換え食品もノー、もちろんコオロギはじめ昆虫食もノー。特に国民食であるパスタにコオロギ粉を混ぜることは禁止しました。自分たちの食の安全を守ることに関しては厳しい体制で臨んでいるのがイタリアです。

そもそもイタリア人自体が食に関してこだわりあるだけに、もしもイタリア政府が日本のように遺伝子組み換え食品やコオロギ食をOKしたとしても、おそらく国民がノーを突きつけて、そうした食品に手を出さないでしょう。

食材にも気を配り、食の安全を徹底して守っているイタリアは、日本同様に長寿国。2023年版の世界保健統計によると、WHO加盟国198ヵ国中、世界一長寿国は「日本」の男女平均〝84・3才〟。イタリアは世界7位で〝83才〟。

普段から食に気を使い品質管理を徹底し、広い牧場で放牧された牛からいただく良質なグラスフェッドの牛乳、バターやチーズ、お肉、地中海の新鮮な魚、そしてポリフェノール豊かなオーガニック赤ワイン。

食を大切にする〝食へのこだわり〟が、イタリア人がイタリア人たる所以。イタリア人のアイデンティティなのです。

★イタリアのスーパーで見かける〝意外な〟日本商品

広いスーパーの売り場には食材が溢れ、ハムやチーズもいっぱい。チーズは地域ごとに作る種類も違うので、日本とは比べ物にならないほど様々な種類のチーズが売っています。野菜もカラフルな野菜がいろいろ取り揃えられていて、オーガニック野菜もたくさん。お肉や野菜だけでなく、地中海に面しているイタリアは魚の種類も豊富で新鮮なものが手に入ります。

メルカート（朝市）と同様、スーパーでも肉魚・ハム・チーズ・パンなどは〝対面販売〟が基本。昔の日本の商店と同じように、カウンターの店員さんに「これを何グラムくださいい」とか「今日はこういう料理を作りたいのだけど、どれがいいかしら？」と会話しながら購入します。日本のスーパーだと肉も魚も野菜もパッケージ売りが主流ですが、イタリアは今でも対面販売が基本です。

大きなスーパーでも同様です。野菜や果物は大きなカゴに綺麗に陳列され、それを好きなくらい取り、自分で秤にかけ必要な分だけを購入します。昭和の日本の商店のような光景は、どことなく人の温かさを感じて懐かしく、イタリア人が人との繋がりを大切にしている様子が伝わってくるようです。

色とりどりな食材で溢れているイタリアのスーパーですが、日本の食材（食品）を買おうと探してもあまり見かけません。売っているのは醤油くらいでしょうか。日本のお米はまず売ってない。売ってるお米はイタリア米と、あとインド米ぐらい。

最近スーパーでよく見かける日本の商品として娘が教えてくれたのが、醤油、ごま油、わさび、ガリ。たまに売ってるのが、うどん、そば、それにおたふくソース、カップ麺の『ラ王』。

そしてヴェネチアのスーパーで見かけた意外なものが『ラムネ』。日本の縁日などで売っている、ビー玉をポンと落として飲むあのラムネ。

「イタリア人はラムネが好きなの？」

そう思った娘がイタリア人の友達に飲んでもらったところ、感想は……

「何これ？〝バブルガム〟みたいな味がする」

評判はイマイチでした。

ヴェネチアはヴェネチアングラスが世界的に有名ですが、このスーパーの店主は瓶の中でカラカラなるガラス玉に惹かれて仕入れたのかもしれませんね。

★自動販売機もコンビニもないイタリア

日本ではよく見かけるのに、イタリアの街中では見かけないものが〝自動販売機〟。日本では当たり前のように道端にあって、いつでも冷たい（冬は温かい）飲み物を買えたり、ハンバーガーやうどん、最近では餃子の販売機までありますが、イタリアではめったに見かけません。駅の構内でチョコバーなどの自販機は見かけることはあっても、街中にはほぼありません。

娘の通う音楽院には、紙コップに注がれるコーヒーの自動販売機があるそうですが、日本と違って故障しやすくて、たまに動かなくなるそう。

日本で当たり前でもイタリアにないものといえば〝コンビニエンスストア〟。イタリアにはコンビニがありません。

スーパーなどのお店は夜8時ぐらい、遅くても夜9時には閉まってしまいます。日曜日もクローズ。日本だとコンビニがないと不便に感じますが、子供の頃からコンビニがない生活に慣れているイタリア人は夜中まで開いているコンビニがなくても「不便だ」とは思わないようです。

24時間お店がオープンしている日本の生活に慣れていると、「もし何か足りないものがあるときはどうするの？」と心配になりますが、そんなときでも何とかなるのがイタリア。「ちょっとバター貸してくれる？」とか「お砂糖貸してくれる？」とか、お隣さんに借りに（もらいに）行きます。自分の家になくて困ったとき、何か欲しかったらとりあえずお隣さんに聞いてみる。

ご近所さんとのつき合いが残っているイタリアでは日本のように「隣の部屋の人を知らない」なんていうことはありません。ご近所さんとのコミュニティがちゃんとできています。

娘が暮らしているカステルフランコもご近所さん同士みんなフレンドリー。自分の家で採れた野菜や卵をおすそ分けしてくれたり、玄関の前に野菜が置いてあったり。それがごく普通の生活の中にあります。昔の日本ではよく見られたご近所づき合いの文化がイタリアにはまだあるのです。

コンビニもそうですが、イタリア人の気質として「アメリカから入ってくるものを受け入れない」という特性があります。コンビニもアメリカ発の形態ですが、イタリア人にはアメリカ文化が肌に合わないようです。

世界中に店舗があるあのマクドナルドもイタリアにできたのはたった十数年前のこと。特に食にこだわるイタリア人からしてみれば受け入れられなかったのでしょう。

当時ヴェネチアを訪れた私は、マクドナルドができていたことに衝撃を受けました。「ついにイタリアも……」と少し残念だったのです。しかし、その看板や店構えだけは、あのハデな赤色と黄色ではなく、ヴェネチアの街並みに合わせるようにシックな色合いだったことにホッとした記憶があります。もっとも最近はマックを食べているイタリア人も多いようですが。

マクドナルド同様、世界中にチェーン店を展開するスターバックスコーヒーもバールをこよなく愛するイタリアにはありませんでした。最近ようやくミラノとローマに数店舗ある程度です。

アメリカ文化にどっぷり浸っている日本と違って、自分の国に誇りを持ち、自国のスタイルを守り抜き、外国の文化にそう簡単には染まらないのがイタリア人のアイデンティティのようです。

★パンツにまでアイロンをかける〝アイロン大好き〟イタリア人

イタリア移住生活で娘がイタリアの幼稚園に通っていたときに驚いたことがあります。幼稚園に通う子供たちがつけているエプロン（袖がついているスモッグ）が凄く綺麗！毎日ピシッと綺麗にアイロンがかけられているのです。

お遊びしているうちに汚れてしまうエプロンにまで、毎日ピシッとアイロンがけするのがイタリア流。日本でそこまでする家庭はあまりないでしょう。でもイタリアではごく普通に各家庭で幼稚園用のエプロンにもきちんとアイロンをかけているのです。

それは美意識から来るものでしょうか。洋服などにシワがついているのが許せないのです。万が一アイロンをかけない服で出かけようとするとマンマに怒られます。いつでもビシッとしているものを着ること。それがイタリア人の美へのこだわりです。

洋服どころかパンツにもアイロンをかけます。見えないからといって手を抜きません。ビシッとしたパンツや下着をつけるのがイタリアの流儀。世界的なファッションの国ですが、外観だけではなく見えないところにもこだわるのがイタリア人のおしゃれの基本です。実際、アイロンをかけた下着は着ると本当に気持ちが良いものです。

イタリアでは家でも必ず食卓にテーブルクロスをかけて、その上で食事をします。そのテーブルクロスもシワシワがあってはいけません。アイロンをかけてビシッとしたテーブルクロスでないといけないのです。

レストランも同じ。リストランテはもちろん、カジュアルなお店のトラットリアでさえテーブルクロスにはビシッとアイロンをかけて折り目一つないようにしています。主人のレストランも、クリーニングから綺麗になって戻ってきたテーブルクロスでも、ついた折り目にアイロンをかけて折り目がない状態にしてからテーブルにセットします。少しでも折り目があるとやり直し。それもお客様が来るたびに取り替えるのですから大変です。

「そこまでやらないといけないの？」

あまりに大変なうえに経費もかかるので、一度主人に聞いたことがあります。すると主人が言いました。

「イタリア人怒るよ。線がついてたりしたら〝残念〟って思っちゃうよね」

シワが目立つテーブルクロス。曲がってかけてあるテーブルクロス。それでは、その空間が台無しになってしまうのです。食にこだわるイタリア人はそのテーブルさえも食事を演出する空間の一部です。コストや手間よりもそこにある佇まい、気持ち良さを大切にします。イタリア人の美意識は、生活を豊かにするこだわりの一つです。

★イタリアのお家訪問は〝お部屋ツアー〟が定番

イタリア人は誰かを家に呼ぶのが大好きです。

「ウチにおいで！」

そう声をかけて友達や知り合いを家に呼びます。

逆に友達や知り合いの家に行くのも抵抗ありません。日本だと突然の訪問は相手に迷惑だからと事前に連絡してから相手の家を訪れるケースも多いのですが、イタリアでは当たり前のようにお互いに家を訪問し合います。

イタリア留学中の娘が住んでいるシェアルームにも、何の前触れもなしに、突然夜に友達が訪ねてくることもよくあるそうです。

それがイタリアでは当たり前。

イタリアの家はどの家も綺麗です。どこの家に行っても整理整頓されていて家の中が綺麗。出窓には花が飾られていて、家の中に目立つゴミが落ちているようなこともありません。日本でいう〝汚部屋〟のように物が散らかっていて足の踏み場もないような家や部屋は見たこともありません。

CAPITOLO 3 PRANZO COMPLETO ALL' ASILO ITALIANO
– IDENTITÀ ITALIANA –

イタリアのお宅を訪ねると、必ず〝お部屋ツアー〟が始まります。

友達や知り合いが初めて自分の家を訪ねてきたときには挨拶もそこそこに。

「よく来たね！　家の中見る？」

家の中の各部屋を案内して回ります。

日本だと自宅にお客さんを呼んだにしても、お部屋ツアーをして家の中を案内することはまずしませんが、「見てちょうだい、ステキでしょ！」と見せて回るのがイタリア流。

それもイタリア人のコミュニケーションの取り方です。

リビングやキッチンはもちろん、2階に上がって、

「ここは子供部屋」

「ここは夫婦の寝室」

と案内してくれます。

どの部屋のベッドも綺麗にベッドメイキングしてあって、まるでホテルの部屋のように綺麗に整えられています。お客さんが来るからその日だけ特別に綺麗にしているのではなくて、いつでも綺麗にしているのです。

主人の実家でも、朝起きたら必ずおばあちゃんがベッドメイキングしてくれます。起きたらすぐにベッドメイキングしてくしゃくしゃなままにしておかない。

それはイタリア人の美意識から来るものでしょうか。くしゃくしゃに乱れたままにしておくのは彼らの美意識が許さないのです。

ベッドはインテリアの一つ。だからどの家も気持ちがいいくらい、ピシッとベッドメイキングされています。

娘もイタリアに留学して一人で暮らすようになってから変わりました。

日本にいたときには整理整頓ができずに部屋の中がとても綺麗とは言えなかった娘ですが、イタリアに行ってからはなぜか部屋が綺麗に片づけられていて、日本にいたときの娘の部屋を見慣れていた私からすると信じられないような気持ちです。

「何だかわからないけど、こっちにいると綺麗にしたくなるんだよね」

自分でも不思議なようですが、〝部屋を綺麗にする〟というイタリア人に共通の美意識の波長が娘にも影響しているのでしょう。

★イタリアの家にはゴミ箱がない

主人の実家に行ったときに驚いたことがあります。イタリアの家にはゴミ箱がないのです。リビングにもないし、キッチンにもないし、寝室などの各部屋にもない。とにかくどの部屋を探してみても、ゴミ箱らしきものが置いていないのです。

「ええ、どこにゴミ捨てるの!?」

長年日本で生活している私にとって、ゴミ箱は各部屋に置いてあるのが当たり前。各部屋とまでは言わないまでも、家の中の何か所かにゴミ箱が置いてあるものです。キッチンはもちろん、リビング、寝室、どの部屋にいても、ゴミが出たらすぐに捨てられるようにゴミ箱があるのは、日本人の家では普通のこと。だってそのほうが便利ですから。ところがどこをどう探しても主人の実家にはゴミ箱がないのです。

「ゴミ箱は一体どこにあるの?」

まるで探偵にでもなったようにゴミ箱の場所を捜索している私に、キッチンにいた主人が「こっちに来て」と手招きをしました。

「キッチン?」

さっき私が見たときには、キッチンにゴミ箱はありませんでした。「ゴミ箱なかったけど」と思いながらキッチンに行ってみると、主人がキッチンのシンクの下の扉を開けて言いました。

「ココだよ」

見るとシンクの下の扉の裏に、外から見えないようにゴミ箱が置いてありました。

「ゴミ箱は見せない」

それがイタリアの流儀らしいのです。日本式の生活に慣れている私は各部屋にゴミ箱があるほうが便利。いちいちキッチンまで行って、シンクの下の扉を開けてゴミを捨てるのは手間がかかって、正直いって面倒くさい。「不便じゃない?」というのが日本の家庭のゴミ箱事情に慣れ親しんでいる私の素直な感想。

でもイタリア人の主人にとってはゴミ箱の場所はどうしても譲れないのです。結婚して一緒に住み始めてから「やっぱり不便だから」と各部屋にゴミ箱を置いたら、「ゴミ箱は見せちゃダメ!」と言って全部取り除かれました。「ソファに座ってて鼻かんだら、そのティッシュどうするの?」と聞くと、主人はさも当たり前という表情で言いました。

「歩いてゴミ箱があるところまで捨てに行けばいい」

〝何でゴミ箱にそんなにこだわるんだろう?〟と考えたときに見つけた私なりの答えは「美

へのこだわり」。

主人を見ていても感じますが、イタリア人のライフスタイルの基準は「bello（ベッロ）かbrutto（ブルット）か」。〝綺麗か綺麗でないか、カッコいいかカッコ悪いか〟が基本。

「美しくないものは徹底的に排除したい」

それが彼らの美意識。だからゴミ箱も排除したい。ゴミを入れるゴミ箱は彼らの美意識と相入れないもの。ゴミのように汚いものを入れるゴミ箱が目につくと、無意識にマインドがざわつくのでしょう。彼らは日常生活の中で、雑多なものを目にしたくないのだと思います。だから毎朝すぐにベッドメイキングしてベッドをピシッと綺麗にするし、アイロンもきっちり綺麗にかけないと気が済まない。

街を歩けば美しい建物や石畳の道。通りを歩く人は素敵なファッションに身を包んでいる。耳を澄ませば神聖な教会の鐘の音が聞こえてくる。そうしたもの全部がイタリア人特有の美意識を作り出していて、彼らのアイデンティティを形作っているのだと思います。

「イタリア人は家を凄く大事に手入れしてる。家が綺麗だと気持ちやマインドが整います。家が汚いと人の心も乱れてきます」

それが主人の考え方。

一度私の母と主人が言い合いをしたことがあります。うちの母は、いつでも使えて便利なようにとティッシュ代わりにトイレットペーパーを家の中のあちこちに置いていたのですが、それを見た主人は我慢できません。

「トイレットペーパーはトイレでしょ。見た目がbruttoなものは凄く嫌！」

家だけではありません。車の中にもゴミ箱を置くのが許せないようです。「何で車にゴミ箱置かないの？」と聞いた私に主人は言いました。

「それはダメでしょ。車は運転するもの。ゴミ箱置くとゴミが出ちゃうし、何か食べたりしちゃうでしょ。車の中で食べるのもダメ。ゴミ箱も禁止！」

車も家と同じように汚くしてはいけない場所。家と同様に居住空間の車の中は綺麗にしておくべき場所なのです。そういう主人も最近では運転しながら何かを食べたりするんですけどね。

「日本の家は外観はピカピカでも中はピカピカじゃない。イタリアは外観はピカピカじゃないけど、中はピカピカ」

それが主人から見た日本とイタリアの違い。だからゴミ箱も日本人の私たちのように〝便利だから置く〟ということはしない。美意識に反するものは便利でも置かない。

とかく日本人は利便性を追求しがちですが、利便性より美しさを大切にする。それがイタリア流の暮らし方なのです。

★イタリアンしか食べないイタリア人

娘が日本に帰ってきたときに思うのは「食べ物が本当に美味しい！」ということ。世界一美味しい料理はイタリア料理と信じて疑わないイタリア人が聞いたら怒りそうですが、娘に言わせると「イタリア料理は美味しいけど、毎日イタリア料理ばっかり食べてたら飽きる」のだそう。

「日本人なら10日間イタリアにいてイタリア料理ばっかり食べてたらもう無理！　限界が来る」

とにかくイタリア人は地元のイタリア料理しか食べないのです。日本人のように「いろいろな国の料理を食べてみよう」というチャレンジ精神がありません。

主人の友達がイタリア（主人の実家の隣町）でいろいろな国の料理を出すお店を開いたところ、お客さんが頼むのは地元の料理ばかりで、結局メニューはイタリア料理だけにしたのだとか。イタリア以外の国の料理があっても「いやいらない」というスタンスのようです。

「意味がわからないぐらいパスタばっかり。何を食べようか迷ったらパスタって感じ」と娘が嘆いていますが、食にこだわりがあるゆえなのか、生まれ育った地元の料理が大好きです。

「身土不二」という言葉がありますが、これは「身体と土地は切り離せない関係があり、その土地で採れた旬のものを食べるのが健康に良い」という考え方です。イタリア人は自分の身体が求めるものを無意識にでも感じているのかもしれませんね。

さて、「じゃあイタリア人は日本料理も食べないの？」と思うかもしれません。

実はイタリアにはちゃんとした日本料理のお店がほぼありません。日本料理は中国料理とごちゃ混ぜになっています。90％以上が中国資本で中国人が経営している『ジャパーニーズ&チャイニーズ』レストランで、鰹節のダシも取らない〝なんちゃって日本料理〟。ミラノなどの大都市に行けば日本人が経営している日本料理店もありますが、そこは値段が高い超高級店なので一般のイタリア人はなかなか入れないのです。

主人曰く「日本人は凄い。新しいもの好きだし、いろんな違う料理を食べてみたいと思うから」。

日本には、来るもの拒まず、そのまま受け入れてしまう寛大さを持ち合わせている国民性があります。そして、違う文化を上手に取り入れ、日本独自のものにしていく素晴らしさ。

お国が違うと食に対する姿勢も違うところが面白いですね。

24年間も日本に住んでいる主人ですが、いまだに日本の料理で食べられないものがあります。

「イタリア人はパスタはアルデンテ（歯ごたえが残る茹で上がり）」という主人は〝柔らかいうどん〟が食べられません。硬めのうどんは大丈夫でも、柔らかいうどんはダメ。ちょっとでも伸びると食べられません。うどん同様パスタが伸びるのもダメ。

「絶対無理。伸びたパスタはあり得ない。気持ち悪くなるから」

主人に言わせると「ラーメンが伸びてるのと同じ。フニャフニャはダメ！」。

日本では当たり前のように食べられているパスタがスープの中に入っている〝スープパスタ〟も食べません。

「パスタがスープの中にあるのはパスタが緩いから食べない。スープパスタはあり得ない」

イタリア人からすると〝スープパスタ〟は、パスタへのこだわりに反するようです。

パスタでいうと〝ナポリタン〟もダメ。そもそもイタリアにはナポリタンというパスタは存在しませんが、主人に限らずイタリア人はナポリタンを食べません。

「ナポリタン絶対無理」と主人が激しく拒絶するナポリタンの何がダメかというと、それはケチャップ。トマトソースが基本のイタリアではケチャップはあり得ないのです。ケチャップ料理は「美味しくない」「砂糖が入っていて甘い」というのがイタリア人の味覚です。イタリア料理ではほとんど砂糖を使うことはないので、ケチャップのあの甘さはあり得ないのでしょう。ケチャップはアメリカ生まれですから、イタリア料理にはそもそも馴染まないのかもしれませんね。

以前ウチの冷蔵庫にケチャップが入っているのを主人が見つけたときに大変でした。

「何でウチの冷蔵庫にケチャップ入ってるの？」

冷蔵庫に入ってることすら許せない。イタリア人の味覚という辞書に「ケチャップ」はないのです。

そうはいっても、最近ではフライドポテトを食べるときには、ケチャップつけて食べるイタリア人も見かけるようになりました。

正確には「サルサ・ローザ」といって、ケチャップとマヨネーズを合わせてソースにしたものですが。

★マンマ大好きイタリア男性

日本でもこのところ電気代、ガス代などのエネルギー料金や食品の値段などが上がって生活を圧迫していますが、イタリアは日本と比べても物価が高くなっています。IVAという日本の消費税のような税金は22%（ただし食料品は4～5%、電気・ガス・医薬品は10%）。それだけを見ても日本の消費税より負担があることがわかります。

そのうえイタリア人のお給料はもともと低いのですが、リラからユーロになってさらに目減りしたため、イタリア人のお給料の平均は月収約20万円程度（円安の影響で20万円を超えていますが、価値からいえば20万円に満たないでしょう）。日本も給与が何十年も上がらず、生活が苦しい世帯が増えていますが、イタリアの月収は日本と比べてもさらに低いのです。

日本ではランチタイムは会社の近くのお店で食べる人が多いでしょうが、イタリアではランチは家に帰ってマンマの作ったご飯を食べるのが一般的（近くのバールで食べる人もいます）。車社会のイタリアは通勤も車で通う人が多く、しかも通勤時間は30分もかかりません。ミラノなどの大都会では地下鉄で通う人もいますが、それでも日本のようにギューギュー詰めの満員電車で1時間以上も揺られて通勤する人はいません。そんなに遠くまで仕事に通っている人はほとんどいません。そうした通勤事情もあって、ランチを家に食べに帰って、食べたらまた仕事に戻ることができるのです。

イタリア人はマンマの手料理が大好き。みんな「マンマのご飯が一番美味しい」と思っています。

主人のマンマもいろんな料理を作ってくれます。どれもみんな美味しいものばかり。裏庭から獲ってきたサクランボで手づくりジャムを作ってくれたり、手づくりパイを作ってくれたり。それがどれも美味しくて、イタリア人がマンマの手料理が好きな理由がわかります。

私が好きなのは「zuppa d'orzo（ズッパドルゾ）」。「ズッパ」はスープ、「オルゾ」は麦、ズッパドルゾは「麦のスープ」。

食にこだわりがあるイタリアはお野菜も新鮮だし、お肉も良質なお肉がいっぱい。その牛肉からダシを取って、そのダシで麦や野菜を煮込んだスープです。仕上げにパルメザンチーズをたっぷりかけていただきます。これが本当に美味しい！

娘が好きな料理は「minestra（ミネストラ）」と「lasagna（ラザニア）」。イタリアが本場の「ラザニア」は日本でもお馴染みですが、「ミネストラ」というのは、肉や魚のダシを取ったスープの中に小さいパスタ（直径5ミリくらいのものやお米サイズの大きさ）を入れたもの。

息子が好きなのはお姉ちゃんと一緒の「minestra（ミネストラ）」。その他「vitello tonnato（仔牛のツナソース）」と「insalata di riso（お米のサラダ）」。

主人が好きなマンマの料理は「maiale al latte（マイアーレ アル ラッテ）」（豚の牛乳煮込み）。豚ロースを丸ごと焼いてタマネギを炒め、白ワイン、牛乳を入れて、牛乳が茶色くなるまでゆっくり煮込む料理。

そして子供の頃によく食べたというのが「svizzere（スヴィッツェレ）」（ハンバーグ）。ハンバーグといっても日本でイメージするハンバーグとは少し違って、薄いハンバーグ（平たくしたひき肉）を焼いて白ワインのソースをかけて食べるもの。

イタリアではハンバーグをパンに挟んで食べる〝ハンバーガー〟のような食べ方はあまりしません。パンに挟むのは、ハムとかサラミとかチーズとかジャムとか。

「日本みたいにパンにパスタを挟むのはあり得ないよ。炭水化物の中に炭水化物、何それ？絶対無理！ イタリア人にそんなの出したら戦争になる」

日本人は当たり前のように食べている〝スパゲッティサンド〟や〝焼きそばパン〟ですが、主人に言わせると〝戦争になる〟ほど絶対に食べないのがイタリア人だそうです。

★イタリア人の男性はマザコン？

イタリア人の男性はよく〝マザコン〟と言われますが、それは本当でしょうか？

マンマの手料理大好きなイタリア男性は、もちろんマンマのことも大好き。

でもそれは日本でいう〝マザコン〟のようなものではなくて、〝ママを大切にしている〟という意味です。

イタリア人は自分の家族、特にお母さんを大切にします。それが〝マザコン〟のように日本人の目には映ってしまうのです。

主人も自分のマンマのことが大好きで大切にしています。そして自分のマンマだけでなく、私の母のことも私以上に大切にしてくれています。

それは家族だから。

たとえば私が母のことを怒ったりすると、主人に怒られます。

「何でそんなこと言うの！　お母さんに」

たぶん日本の男性で、奥さんの母親のことにそこまで口出しする人は珍しいでしょう。

でも主人は私の母親のこともイタリアにいる自分の母親と同じように大切な扱いをしてく

れます。

そんな主人のことを私の母も信頼しています。

「あなたじゃ話がわからないからステファノさんに代わってくれる」

娘の私よりも主人のことを頼りにしているほど。

かつて一度私が主人にもの凄く怒ったことがあります。原因はもう忘れてしまいましたが、何かの出来事があって「もうこんなんじゃ離婚する！」というぐらいブチ切れたことがありました。

完全にブチ切れた私を見た主人は私に何も言わずに部屋に閉じこもって、どこかに電話し始めました。

「ええ？　どこに電話してるの？　まさか弁護士!?」

まさかそれはないだろうと思いつつも、こっそり主人の電話を聞いていると、

「お母さん、滋子を怒らせてしまった。どうしたらいいんだろう？」

何と主人はウチの母に電話していたのです。

夫婦ゲンカしたときに、ケンカしている相手の母親に電話して「どうしたらいいか」相談する日本人男性はまずいないでしょう。でもイタリア人男性は、奥さんの母親のことも自分の母親同様に慕っているのです。

現在母は病気で身体が動かなくなり、車椅子の生活で老人ホームにお世話になっています。

コロナ禍の前は、仕事に行く前に毎朝、ホームに顔を出して母の話し相手やお世話をしてくれていました。今では、母をお姫様抱っこをして、車に乗せたり、ベッドに寝かせたりしてくれます。周囲の介護士さんたちに母は、「お姫様抱っこしてもらえて幸せね〜」と言われています。

自分の母親も奥さんの母親も本当に大切にする。

家族を大切にし、マンマを大切にする。

「マザコン」と聞くとネガティブなイメージですが、イタリア人男性のマザコンは、人としての愛溢れる行動そのものです。

4

世界一幸せな子供はイタリアの子供

─結婚・子育て─

4° Capitolo Il bambino più felice del mondo è un bambino italiano

─ Matrimonio ed educazione dei figli ─

★イタリア人パパは〝日本人以上に日本人〟

結婚する前、彼は岩手県にある私の実家に遊びに来ました。

実家は三陸沿い、太平洋に面している山田町にあります。父親の家系は南部藩に魚を納めていた釜石にある網元でした。母親の実家は山田町にある武士の家系で、ご先祖は武田家の重臣の末裔で三陸まで逃れてきたのだそうです。どちらの家も昔ながらの旧家で大きな家でした。

実家には母方に伝わっている鎧兜が2体、それに日本刀がありました。一つは実際に戦で使った鎧、もう一つは飾り鎧でちょっとゴージャスな装飾が施してあるもの。

小さい頃から父親が日本刀の手入れをしている姿もよく見ました。〝打粉〟といって、棒の先端に丸められた布がついている道具で日本刀の刀身を〝ポンポン〟と軽く叩いて古い油を取るのです。映画やドラマの時代劇で見るような〝刀ポンポンポン〟を父親は実際にやっていました。

彼が私の実家を初めて訪れたのは東日本大震災の津波で流される前。父は昔ながらの威厳のある父で、外科医でした。

当時まだ日本語も片言で日本の風習に馴染んでいない彼は「お父さんと会うのが怖かった」そうです。

イタリアでは日本のように、あらたまって彼女の家に行くという習慣はありません。そもそも男女交際もオープンなイタリア人は、つき合っている頃からごく普通にお互いに家族ぐるみのつき合いですから、あえて結婚のために親元に出向いて「娘さんと結婚させてください」的なあらたまった挨拶を交わす習慣がないのです。

そうした環境で育ったイタリア人の彼が、東京から遠く離れた岩手の田舎の家まで行って、威厳たっぷりの父親に会うのですから「怖い」と思うのも当然です。イタリア人でなくても日本人でも、日本刀や鎧兜のような物騒なものが置いてある家を訪れれば、ちょっと怖くなる人もいるでしょう。なので私も両親には、友人を連れてきた感の軽いノリで彼を紹介しました。実際両親も海外から来た彼を「こんな田舎までよく来た」と言って快く歓迎してくれました。

実家に行くまではちょっとビビッていた彼ですが、実家に着いて日本刀や鎧を見た途端、

「Madonna! Che bello!」（凄い！）

今まで怖がっていたのがウソのように急に目を輝かせ始めました。
子供の頃から柔道をやっていて日本の武士道精神に憧れていた彼は、日本のサムライ魂に通じる日本刀や鎧を実際に目の前にして気分が高揚していました。

「Mamma mia!」（マンマ ミア！）

今にも鎧を着て日本刀を手に取りそうな勢いでテンションアップ。そんな彼の姿を見た父にも、武士道大好き、日本大好きな彼の思いが通じたのでしょう。初めて会ったイタリア人の彼の中に、どこか自分と通じるものを感じたのかもしれません。いつもは厳しい父も彼のことをすっかり気に入りました。

「やってみるか？」

母に浴衣を着せてもらった彼に父はそういうと、日本刀を持たせ刀の手入れをさせました。

「Bellissima!」（素晴らしい！）

興奮を隠すかのように厳かな様子で〝刀ポンポン〟する浴衣姿のイタリア人。
もちろん浴衣を着たのも刀ポンポンも生まれて初めて経験する彼ですが、それがごく自然に見えるから不思議です。

「この人、前世は日本人だったんじゃないの？」

そう思うほど、その姿にまったく違和感を感じないのです。

それから彼は茶道をやっていた母からお茶を立ててもらい、日本文化に触れました。

そうした日本文化に興味を示さないイタリア人もいますが、彼は興味津々で父と母ともすぐに打ち解けました。

主人は日本人の私よりも日本文化に興味を持っています。骨董品を見るのも大好き。彼を見ているとイタリア人であることを忘れて、「日本人以上に日本人だな」と感じます。たぶん魂が日本人。

待ち合わせ時間も、私は時間ギリギリだったり、少し遅れる傾向にあり、どちらかというとイタリア人的ですが、主人は逆。待ち合わせには必ず5～10分前には到着します。時間に遅れるのは絶対にイヤなのです。

もうこれは私以上に日本人と言っていいのではないでしょうか。

★「Battesimo」と呼ばれる洗礼式は日本の〝お宮参り〟

私たちには結婚記念日が3つあります。

1つ目がイタリア大使館に届けた日。これはイタリアでの正式な婚姻届となります。2つ目が日本に婚姻届を出した日。そして3つ目がイタリアの教会での結婚式でカトリックでの正式な届け日となります。イタリア大使館での調印式のときは、大使館でのお祝いとその後、日本にいる私の親族を呼んでレストランでお食事会をしました。そして、皆さんがイメージする結婚式は、娘が1才半のときにイタリアで挙げることになりました。

教会の結婚式では、新郎も新婦もイタリア語で宣誓をしなくてはなりません。しかもその言葉が長いのです。私はその誓いの言葉を覚えるのに必死でした。

ちょうど結婚式の前日、ソファーに座り式の打ち合わせをしていたとき、いつものように抱っこを求める娘を持ち上げようとしたときでした。

〝グキッ〟

「あっ!?!」

何とギックリ腰に。

「痛ッ～!!」

立っていられないどころか、歩くこともままなりません。

「どうしよう……明日」

結婚式の前日にギックリ腰になる花嫁さんもめったにいないでしょう。しかもイタリアに来てまで。幸いなことに腰の痛みはあるものの、当日には何とか歩けるようになりました。

「Nel nome del padre, del figlio e dello spirito santo, amen……」(父と子と精霊のみ名によって、アーメン)

結婚式当日、神父さんの祈りの言葉で式が始まり、列席者のアーメンの言葉が教会に響き渡りました。

「何でよりによって、結婚式にギックリ腰になるかなぁ……」

神父さんの話が永遠と思えるほど長く感じられました。それでも指輪の交換が終わり、私のイタリア語の誓いの言葉が済んでほっとしたのも束の間、子供の泣き声が教会に響きました。娘のサラの泣き声です。

6月のこの日はとても暑い日で、いくら石造りの教会の中が涼しいとはいえそれなりの暑さです。暑さに耐えられなくなったのか、抱っこが恋しくなったのかはわかりませんが、とにかく泣き止みません。主人の妹が外に連れ出してあやしたりしてくれましたが、一時的に泣き止むものの、またすぐに大泣き。さじを投げた主人の妹が、式の途中で娘を私のもとに連れてきました。そうしてその後、私は祭壇で娘を抱っこしたまま、神父様のお話を聞いていたのです。さすがにぎっくり腰でずっと娘を抱っこしたままでは腰がもたず、一人座ることにしました。

当日は結婚式の後に、娘の洗礼式も一緒に行いました。

洗礼式はカトリックになるための一番最初の儀式。日本でいう〝お宮参り〟のイメージです。お宮参りは赤ちゃんの健やかな成長を願うために行われる儀式ですが、それがイタリアでは「Battesimo（バッテージモ）」と呼ばれる洗礼式。国民の70％以上がカトリック教徒のイタリアでは子供に洗礼式を受けさせるのが一般的です。主人がカトリックなこともあって、娘も洗礼式を行うことにしました。

洗礼式には「ゴッドファーザー」か「ゴッドマザー」という立会人（後見人）が必要です。娘のゴッドファーザーは、私のロンドン時代のフラット（アパート）のオーナー、白髪のイギリス人のビルさんになっていただきました。

洗礼式は神聖な儀式。神父様がオイルを娘の胸につけたり、聖なるお水を娘の額にちょんちょんとつけたり、神聖な雰囲気の中で厳かに式が進んでいきます。教会にいる誰もが静かに見守る中、一人大泣きしているのが当の娘。

「ウエーン、ウエーン！」

洗礼式の間中、教会中に響き渡るほどの甲高い声で大泣きです。しかも教会は泣き声もよく響きます。

「ウワーー!! ウワーー!!」

赤ちゃんのときから、嫌なものは徹底して「嫌」と主張する娘は、洗礼式のような儀式がよっぽどお気に召さなかったのか、最初から最後まで泣き通し。いったん泣き出すと、何をどうあやしても泣き止まない娘はとうとう洗礼式の間中泣き続け、最後は泣き疲れたのか、グッタリした様子で寝てしまいました。

それが今から20年前のこと。私のギックリ腰、娘の大泣き、ハプニングはあったものの、無事にイタリア式の洗礼式と結婚式を終えました。

その後、教会を出ると虹がかかっている空が見えました。大泣きした娘も含め、天は祝福してくれたのでしょう。

式の後は、ビッラと呼ばれる元貴族のお屋敷をレストランにしている場所を貸し切り、披露宴を行いました。披露宴といっても、日本人の私たちが想像するものとはちょっと違います。ここでのエピソードは、機会があったらお話しできたらと思います。

★川の字で寝られないイタリア人

イタリアには日本のように〝川の字で寝る〟という文化がありません。同じ部屋に家族みんなで寝る習慣がないのです。小さい頃にマンマと一緒に同じ部屋で寝ることはあっても、1才ぐらいになると子供部屋（個室）のベッドで一人で寝るようになります。

子供の頃からそうやって育った主人でしたが、当時住んでいたマンションは寝室が一つしかありませんでしたし、私が川の字で寝ることを望んでいたので、意外と川の字に馴染んでいきました。

ダブルベッドに親子3人。下の子が生まれてからは、最初の1年は下の子はベビーベッドでしたのでそれほど問題はありませんでした。その後、部屋数が多いマンションへ引っ越ししたのですが、川の字で寝ることは続行。

仕事が終わるのが遅い主人はいつも夜中の12時過ぎに帰ってきます。そのとき子供たちと私はすでに眠りについた後。ダブルベッドとはいっても大人1人と子供2人寝ていると、主人の寝る場所がありません。仕方なくソファで寝たり、ベッドの横に布団を敷いて寝たり。

しばらくはみんな同じ部屋で寝ていましたが、夫婦の寝室と子供の寝室が別々のイタリア人には、いつまでも同じ部屋で川の字（川の字より1本多いですが）に寝るのは耐えられなかったようです。

後日、2段ベッドを購入するという強行突破に出ました。

イタリアにはそもそも布団で寝る習慣がありません。うちの実家に挨拶に来たときに、畳に布団を敷いて寝たのですが、布団で寝ることに慣れていない主人は「腰が痛い」と言って大変でした。畳の上にマットレスを敷いて、その上に布団を敷いても、慣れない主人にとっては腰が痛くてなかなか寝つけなかったようです。

日本文化が好きで子供の頃から柔道をやっていたので畳も好きですが、寝るのとはまた別。武士道精神も畳の上に寝るのは苦手なようです。

彼が日本に来た当初は英語で話していた私たちですが、日本の生活が長くなるにつれて今では普段から日本語で話しています。

イタリア語を使うのはケンカをして文句を言うときぐらい。それ以外はほとんど日本語。寝言も日本語です。

衝撃的に覚えているのは、イタリア人の友達と飲みに行ったときの寝言。

私はすでに眠りについていたのですが、夜中に突然聞こえてきた凄いうめき声で目が覚めました。

「ウワワワ〜〜！」

何事かと思って隣で寝ていた主人に目をやると、

「落ちる落ちる落ちるーーー‼」

もの凄い声で叫びました。

「何？　どうしたの？」

心配で声をかけたものの、主人は夢の中。

後で聞いたら、どうやら酔っぱらって自転車で帰ってくる途中に道端の側溝にフラついて落ちそうになる夢を見たのだとか。

「落ちる落ちる落ちる〜あああーーー‼」

あのときの寝言は今でも忘れられません。

★頑固な娘にPazienza（パツィエンツァ）

娘は生まれて間もなく保育器に入れられて4日ほど一人離れていました。その影響もあるのか、少しでも私から離れるともの凄い勢いで泣き出し、なかなか泣き止みません。どうやら0才の頃から自己主張が激しかったようで、自分が嫌なことは頑として主張します。どんなにあやしても何時間でも泣き止まないのです。

生まれてからしばらくは、とにかく抱っこされていないと気が済まなかった娘は、抱っこから降ろすともの凄い勢いで泣き出します。スヤスヤ寝始めた頃合いを見計らってそっと下ろしても、気配を察してすぐに泣き始めます。もの凄い勢いで泣き出して、どうやってあやしても泣き止みません。娘が泣き止む方法はただ一つ。また抱っこするしかないのです。

娘が生まれて1才ぐらいまでは、日中ずっと私が娘の世話をしているので、夜にはもうクタクタ。夜泣きしたときには抱っこする体力も残っていないので、主人が日本式のおんぶ紐で娘をおんぶして夜中に散歩につれていってくれました。

生まれて数ヵ月の頃、主人のお店が休みの日に、初めて主人を一人家に残して出かけました。

娘が生まれてから伸び放題だった髪を切りに久しぶりに美容室に行ったのです。それが初めてイタリア人の新米パパが一人で娘の面倒を見た日。

案の定、私がいなくなると娘はもの凄い勢いで泣き始めました。その勢いたるや、ご近所一帯に響き渡るほどの大泣き。

何とか泣き止んでもらおうと、いつものようにおんぶしたり、抱っこしたり、ミルクをあげたり、おむつをかえたり、主人も必死であやしたものの、何をやっても泣き止みません。どうやってご機嫌を取ってみても、まったく泣き止む気配がないどころか、どんどん泣く勢いが増すばかり。

もう何時間泣き続けているでしょうか。何をやっても泣き止まない娘に主人はお手上げ状態。

とうとう諦めた主人は、娘をベッドに放りだし、

「パツィエンツァ」

〝もうやってられない〟という感じでドアを閉めて隣の部屋へ逃げ込みました。

「お手上げ！」「もう降参！」

腕を上げながら〝やってらんねーよ！〟と投げ出す感じで言うのですが、このときの主人の気持ちもまさに「お手上げ！　もう知ったっちゃねーや！」だったのでしょう。私が帰ってきたときには、ヘトヘトに疲れた様子。

親の私から見ても、娘は凄く頑固だと思います。頑固というか、自分の主張をしっかり伝えて、自分が〝これ〟と思ったことは決して曲げません。私がどれだけ言っても曲げません。頑固というか、意思が固いというか。

イタリアに移住したときに通った幼稚園でも意思を貫き通しました。

周りはみんなイタリア人の子ばかり。当時イタリア語があまりしゃべれなかった娘は、日本の幼稚園と違って誰も知らない中に一人で放り込まれたような気になったのでしょう。それが納得いかないのか、幼稚園に行くのが嫌で嫌で仕方なかったようです。

「みんなと仲良くしてね」とお願いしても一言、「嫌！」。

娘にとって嫌なものは嫌。「誰ともしゃべるまい」という顔で口を一文字にギュッと結んでお友達と一言もしゃべらないどころか、幼稚園にいる間中笑いもしません。それが娘の意思表示。

２才の頃通っていた保育園に行くときも大変でした。保育園に行くのが嫌な娘は乗っているバギー（ベビーカー）のシートベルトをガチャンと外してバギーから脱走。地べたに寝転がって「行きたくな〜い！」と駄々をこねる毎日。

よっぽど保育園に行くのが嫌だったのでしょう。毎日毎日バギーから脱走して、道に寝転がって駄々をこねました。

「嫌なものは頑として嫌」と主張するのは、大きくなった今でも変わりません。相手が女の子であろうが男の子であろうが、間違ってるものは「間違ってる」とはっきり指摘します。そこに曖昧さはありません。

その点、日本人特有の協調性がある私は〝その場を丸く収めよう〟という意識が働く分、空気を読むというか、意思表示をはっきり示さずに曖昧に終わらせることがあります。昔から日本人に根付いている〝和を以て貴しとなす〟という精神が染みついているのでしょう。

もちろん娘も〝輪〟は大事にしますが、自分の主張はしっかりする。それがイタリア人の血を引く娘の個性だと思います。

★とっても便利なイタリアの赤ちゃんギフト

イタリアには「ボンボニエーレショップ」というギフトショップがあります。「ボンボニエーレ（bomboniere)」というのは、贈り物（お土産）のことで、たとえば誕生日や記念日といったお祝いの席に来たお客さんにお渡しする、ちょっとした贈り物です。イタリアでは誕生日や記念日といった日には親戚などを家に呼んだり、レストランで食事をするのが一般的。そこで招待した人たちに〝ありがとう〟を込めて記念にボンボエーレというお土産を手渡します。その多くが〝銀製品〟。ボンボエーレショップにも、銀製品がたくさん売っています。

日本でも赤ちゃんが生まれると〝銀のスプーン〟を出産祝いに贈ることがありますが、イタリアでも銀製品をよく贈ります。子供たちが生まれたときにも銀製品の贈り物をいただきました。銀の縁取りの写真立て、銀でデザインされた表紙のアルバム、銀の置物など。その他、娘のサラにはピアスやペンダントトップ、息子のレイには、ブレスレットなど。イタリアでは出産のお祝いにアクセサリーを贈る風習もあります。そのアクセサリーのパッケージも赤ちゃんの絵が描かれており、とても可愛らしいのです。

日本でも赤ちゃん用のプレゼントはいろいろな種類がありますが、イタリアには日本ではめったに見かけないベビーギフトもあります。

私がいただいてとても重宝したのが〝バスローブ〟。バスローブを着る習慣がない日本では馴染みがないと思いますが、イタリアでは赤ちゃん用のバスローブが売っています。娘が生まれたときにお祝いでいただいたのですが、これがとっても便利。海に行ったときにちょっと着せたり、お風呂上りに着せたり。小さい子供はちょろちょろ動き回るので、バスローブを着せていると動いても簡単には脱げないので安心です。

イタリアのバスローブはタオル地などの肌触りのいい素材でできていて、子供用はピンクや水色などの可愛い色のものがいろいろ用意されています。

息子が1才半ぐらいのときに、家族で日本の温泉に行ったときにも、お風呂上りにバスローブを着せていたら、それを見た年配の女性が「あら、いいわね」と珍しそうに。

「こんな小っちゃな子でもバスローブがあるのね～」

きっと初めて見たのでしょう。日本ではバスローブを着る習慣自体がないので珍しく思えたのかもしれません。

最近では日本でもベビー用や子供用のバスローブを扱っているところもあるようです。一度使ってみるとわかりますがとっても便利ですよ。

★「アンジェラ」はイタリアでは〝よね〟〝うめ〟

娘の名前は「彩来（さら）」。「彩」に「来」と書いて「彩来」。

冒頭でお話ししたように、妊娠したとき、生まれてくる子供は男の子だと思っていたので、女の子の名前を考えていなかったのです。しかし、生まれてきたのは女の子。入院中に慌てて、赤ちゃんのお名前辞典や名前の画数の本を毎晩見て名前と漢字を考えました。

「サラ」というのは、もともと私のクリスチャンネームになる予定のものでした。

イタリア人の主人とカトリック教会で結婚した私ですが、カトリック教会で結婚するためには教会に行って神父さんの講義を受けないといけません。六本木にあるカトリック教会に毎週行って、外国人の神父さんの講義を受けました。その教会にいたイタリア人の神父さんが私がクリスチャンになったあかつきには、クリスチャンネームに「サラ」という名前を考えていてくれたのです。

結局クリスチャンになることはありませんでしたが、「サラ」という名前の響きが好きで、どこか私の中に残っていました。

生まれた子の名前をどうするか？　親なら誰もが悩みますが、私には娘が生まれたら「この名前をつけたい」と胸に秘めている名前がありました。

それが「アンジェラ」。英語でいうと「エンジェル」。「天使」を意味する「アンジェラ」を娘につけたいと思っていました。

主人に相談すると、

「〝アンジェラ〟がいいと思うけどどうかな？」

主人から返ってきたのは思ってもいなかった言葉。

「〝アンジェラ〟はダメ」

「どうして？」

「古い名前だから」

想像もしていなかった答え。〝古い名前〟ってどういうこと？

意味がわからない私に主人は「じゃあ友達にも聞いてみるよ」と、イタリア人の友達に聞いたところ、「やめたほうがいい」と主人同様、反対されました。

「ええ～、何で？　〝アンジェラ〟っていい名前じゃん。〝天使〟だよ」

「でも古い名前だから。イタリアでは誰もつけないよ」

日本でいう「よね」とか「うめ」並みに古臭い名前のようです。

日本とイタリアでは名前事情もまったく違うようです。

たとえば主人のお母さんの名前は「マリーアントニエッタ」。フランス語だと「マリーアントワネット」。日本でいうと「～妃」みたいな印象を受けます。

さすがに今「マリーアントニエッタ」をつけるイタリア人はいません。日本でも女の子でいえば「～子」、男の子でいえば「～郎」などの名前が少なくなっているように、イタリアにも名前の流行はありそうですね。

一方、古い名前でも廃れず使われる不変の名前もあります。主人の名前の「ステファノ(Stefano)」もそう。有名な聖者の一人の名前がステファノだったこともあり、「聖(サント)ステファノの日」というのがイタリアにはあります。イタリアでは12月26日を「ステファノの日」と呼んで記念日にしているほどです。カトリックの国のイタリアでは「ステファノ」や「マルコ(Marco)」などの聖者の名前をつける人たちはまだたくさんいます。

しかし、「アンジェラ」が「よね」や「うめ」並みに古臭いと言われてはさすがにつけられません。赤ちゃんのときから〝おばあちゃん〟の名前ではかわいそうですから。

そこで思い出したのが「サラ」。

もともと私のクリスチャンネームになるはずでしたが、その響きはとても好きでしたので「サラ」にしようと思ったのです。

「彩り豊かな未来になりますように」

漢字で書くと「彩来」。

彩来の弟の名前は「レイ」。

最初は「ケンタロウ」とか「ケンイチロウ」とか、ちょっと日本っぽい名前にしたいと思っていました。

「〝ケンタロウ〟はどう?」

主人に聞いてみると返ってきたのが、

「〝ケンシロウ〟だったらいいよ!」

「ええ? ちょっと〝ケンシロウ〟って何で!?」

主人が子供の頃に熱中していて見ていたアニメが『北斗の拳』。当時イタリア人の男の子たちの間では『北斗の拳』や『ドラゴンボール』が人気だったそう。だから主人は「〝ケンシロウ〟ならいいよ」なのです。でも〝ケンシロウ〟はちょっと……と思った私はもう一つ考えていた名前を挙げました。

「じゃあ〝レイ〟はどう?」

「〝レイ〟ならいい」

あっさり賛成してくれた主人。

「何で〝レイ〟はいいの?」

理由を聞いてみたら……

「〝レイ〟っていうのはケンシロウの友人で相棒の名前だから」

やっぱりそれもアニメから。

「〝レイ〟っていうのはイタリアにもある名前？」

そう聞くと主人は「あるよ」と言います。

こうして息子の名前は「レイ」に決まりました。漢字は「礼」。武士道好きで礼を重んじる主人も気に入ってくれた名前です。

「イタリアに〝レイ〟って名前ある？」

息子に名前をつけた後、ちょっと気になった私は何人かのイタリア人に聞いてみました。

すると答えはみんな同じ。

「ない」

英語にはあるけど、イタリアにはない名前。

日本のアニメ好きの主人のこと、もしかすると「ゴクウ」でもOKしたかも。

★「宝物」「お星様」と呼ばれて育つイタリア人の子供たち

イタリア人は自分の子供を呼ぶときに、名前で呼ぶ以外にも、

「アモーレ（愛しい人）」

「テゾーロ（宝物）」

「ステッラ（お星様）」

「ステリーナ（小さくて可愛い星）」

などという呼び方もします。

自分の子供以外にも、よその子にそう呼ぶときもあります。主人は娘が小さいときによく「ステッラ」と呼んでいました。

「パパ」

娘に呼ばれると、

「スィ、ステッラ？」（何、お星様？）

イタリアのママたちは自分の子供も他人の子供にも「アモーレ」とか「テゾーロ」と呼んでいるのをよく聞きます。

ちなみにベビーシッターのアルバイトをしている娘は、子供たちを呼ぶとき「アモーレ」と言ったり、子供だけではなく自分の友人のことも「テゾーロ」と呼ぶことがあるそうです。

そうやって大切に育てられているからイタリアの子供たちは素直に育っていくのでしょう。

日本人とイタリア人の子育てで違うのは、こうした名前の呼び方もありますが、子供との関わり方の違いもあります。

娘が高校2年生のときに失恋したときのこと。娘から〝失恋した〟ことを聞いた主人は娘のためにお花を買ってきてくれました。そして「一緒にコーヒー飲みに行こうよ」と娘を誘って2人でカフェへ。

娘はそのときのことをよく覚えているそうです。

娘が失恋したからとお花を買ってくるような父親は日本人では珍しいでしょう。それどころか娘が失恋したことも知らない父親も多いかもしれません。普段から会話が少ない親子関係では、娘の恋愛事情を親に話すことはしないでしょう。

イタリア人は子供の恋愛事情もオープンに話します。

それは普段から親子関係ができているから。何かあっても子供が内にこもらず、家族に相談する関係ができているのです。そうしたベースとなっているのは小さい頃からの親子関係。

親が子供にかける言葉は子供が育っていくうえで大切な役割があると思います。〝言霊〟という言葉があるように、言葉は大切です。何度も何度も耳から入って、心や脳、細胞、そして魂に記憶される。

親が投げかける言葉は子供にとって最高のプレゼント。

子供はどんなプレゼントより「愛されている」という安心感が何より必要で、それが人格形成に大きく関わっています。

イタリアで悲惨な事件が少ないのは、子供のときから愛されている実感があることも関係しているのでしょう。

「世界で一番幸せな子供はイタリアの子供」

そう言われるほど、イタリアの子供たちは大切に育てられます。

「アモーレ」「テゾーロ」「スッテラ」などと何千回も何万回も言われて育つので、それが知らず知らずに魂に刻まれ、人格形成をなしていくのでしょう。

ありのままの自分でいいんだ、私は私のままでいいんだと。誰かと比較することなく、そのままの自分で愛される存在なんだと、無意識に記憶の中に刻まれていく。

言葉の波動とは、思っている以上に私たちに大きく影響しているのかもしれません。

★娘が綴った〝武士道ポエム〟

13歳の頃、娘が学校の宿題で書いた詩が、「Excellent」の評価をもらいました。担当の先生が他の先生に見せてまわったそうです。

〝これって、親バカ？〟と思われるでしょうが、何が一番嬉しかったかというと、彼女の詩の中で、侍（サムライ）の在り方がとても的を射て表現されていたことと、そのサムライ精神を彼女なりに受け止めていたこと。

この宿題のタスクは、日本の江戸時代における人々の暮らしぶりをその階級別に商人、職人、農家、侍、大名、将軍に分けて、それを詠うというもの。

この詩を見たとき、

「娘の感性がこんなに育っていたんだな〜」

と思い、嬉しくなりました。

これは、その詩の一部です。

At the bottom of a Gloomy adventure
Walking the street
Trading and selling
For little money and big dreams

・・・・・

The Samurai adventure
Fights with pride
A brave soul
Life bounded by beliefs.

・・・・・

13歳の娘が武士道について綴ったポエム。

あの時代、武士たちは、自分の信じる道を生きていたと思います。
それは「志」と言えるもの。

彼らの信じる道は、自分自身の志。
その志に誇り高く生きていました。

子供の頃から柔道を習い、日本の武士道精神に憧れる主人と同じように、娘が侍の志を詩にしたためたことが私には嬉しく思いました。

イタリア人気質を多分に持っている娘ですが、今の日本人が忘れかけている、かつて日本人が持っていた武士道精神、高い志を大切に思う感性を、これからも伸ばしていって欲しいと思います。

★世界一幸せな子供はイタリアの子供

イタリアでは子供たちにお手伝いをさせて、一緒にキッチンでご飯を作ります。パスタを一緒にこねたり、ニョッキを作ったり。日曜日など学校が休みで子供たちが家にいるときには、みんなでニョッキ作り。ジャガイモをふかして混ぜ合わせて、子供たちも一緒にお手伝いして作って日曜日の朝を過ごします。

ウチも小さいときから一緒にキッチンに立ってパスタを作ったり、ニョッキを作ったり、パパが一緒にやらせていました。料理のお手伝いをすることで、親子のコミュニケーションがしっかり取れるので親子の断絶のようなことも起きません。

それがイタリア人の子育て。お手伝いを通して親子の絆が深まり、子供たちも孤独を感じません。イタリアで不登校がないのも、こうした家族のコミュニケーションがしっかり取られているからだと思います。

「世界で一番幸せな子供はイタリアの子供」と言われる理由は、親に限らず大人の目が子供たちを見守っているから。イタリアではどこに行っても大人たちが子供たちを見守っています。他人の子でも何か悪さをすればすぐに注意します。一人で泣いていたり、ポツンと一人で寂しそうにしていたり、何かおかしい素振りをしていれば、すぐに声をかけてくれる大人がいます。「どうしたの？」と、知らない子でも大人が気づいて声をかけてあげます。たとえば子供たちが塀に上って遊んでいたとすれば、「そこで何やってるんだ。危ないだろ」と言って注意してくれるおじさんがいます。そこで子供たちも注意されたからといって「クソじじい」とか「クソばばあ」みたいに悪口を言うわけではありません。

「ボクたちは塀に上ってこういう遊びをしてるんだよ」

おじさんから叱られているだけではなくて、自分たちが今何をしているのかをちゃんと説明して主張します。それがイタリアの子供たち。大人たちの目がいつでも見守っているので非行に走る子が少ないのです。

何か心の闇みたいなものが起きたとき、親身に相談に乗ってくれる大人がいる。知り合いのおじさんやおばさんだったり、近所のおじさんおばさんだったり。他人の子供でも本当に親身になって相談に乗ってくれる。だから疎外感がないのです。人との繋がりがあるから孤独になることがない。「一人じゃない。何かあれば誰か助けてくれる」という安心感があるのだと思います。

残念ながら今の日本はそうした人との繋がりが切れてしまっているように思えます。子供が何か悪さをしていても大人は見て見ぬふり。ポツンと一人でいる子供を見ても知らんぷりして通り過ぎる。かつての日本にあったような人と人との繋がりが今の日本では薄れてしまった。

日本ではよくニュースになったりする子供への虐待もそう。育児に追われるお母さんたちが育児ノイローゼになったりして子供を虐待する例が後を絶ちませんが、イタリアには虐待やネグレクトなんてありません。育児で困ったことがあったり悩んだり、もし何か困ったことがあればイタリア人は泣いて助けを求めます。

「私にはもう無理なのよー！」

感情表現がストレートなイタリア人は周りの人にそう言って助けを求めるでしょう。日本人のように自分一人で悩むようなことがないのです。そして「助けて！」と助けを求めれば、必ず誰かが助けてくれる。手を差し伸べてくれる。助け合いの精神があるのがイタリア人。だから孤独になることはありません。

もちろん悪さをする子はいます。でもそれをちゃんと叱ってくれる大人がいる。子供たちを見守っている大人がいる。そこには愛があります。

それはまさに昔の日本。人と人が助け合い、繋がり合って生きていた時代。日本にもそういう愛に溢れた時代がありました。混沌とした今の世の中だからこそ、日本もイタリアのように人と人との繋がりをもう一度取り戻さないといけないのではないでしょうか。

5

自発的に行動するイタリア人、指示待ちする日本人

―教育―

5° Capitolo La spontaneità degli italiani contro la compostezza dei giapponesi

― Formazione scolastica ―

★イタリアにはない〝お受験〟

半年間のイタリア移住生活が終わり、その年の秋に日本に戻ってきた娘は移住前に通っていた目白の幼稚園に戻りました。椿山荘の向いにある東京カテドラル聖マリア大聖堂の隣にあるカトリック系の聖園幼稚園。

洗礼式では大泣きをしてどうなることかと思った娘ですが、マリア様大好きで優しく育ったのは幼稚園のシスターや先生方のお陰です。

さて、イタリア移住生活を終えて日本に帰ってきてみると、幼稚園はみんなお受験モードに突入していました。半年前はそんな気配はまるでなかったのに、様相が一変していました。

「え、何？　ええ、それってしなきゃいけないの!?」

地方育ちでお受験とは無縁の生活をしてきた私にとっては、今まで自分が過ごしてきた世界とはまったくの別世界。半年前とはまったく変わってしまった幼稚園の様子に戸惑うばかり。周りのお母さんたちは教育熱心な方ばかりで「いい学校に入れたい」と熱が入っています。年中さんの秋ともなるとお受験の準備が始まっていたのです。

「お受験って必要なんですか？」

何しろお受験の経験がないので半信半疑でしたが、周りのお母さんたちの雰囲気にのまれて娘もお受験の準備を始めることになりました。まずはお受験用の塾に通うことにしました。

「彩来ちゃん、今日から塾に行こうね」

のびのびとイタリアで過ごして帰ってきたと思ったら、いきなり塾に通わされてお受験の準備。娘もきっと頭の中では「？」が飛び交っていたと思います。

そもそもイタリアにはお受験なんてありません。塾も聞いたことがなければ、進学校なども聞いたことがありません。もちろん学校に入るために勉強はしますが、それは自分が自己実現するために必要だから。イタリアにもヨーロッパ最古の大学であるボローニャ大学やミラノ大学、ヴェネチア大学（カ・フォスカリ）といった名門大学はあるので、そこに入るにはやはりそれなりの学力が必要でしょう。でも基本的には自分がやりたいことをやるために、自分の能力に合った学校に入る。日本のようにライバルと競い合う〝受験戦争〟みたいなものはないのです。ところが日本に帰ってきた途端、それまでの環境とは打って変わってお受験モード。娘は戸惑ったでしょう。

「彩来ちゃん、頑張ろうね〜」

いい学校に行くにはお行儀良くしないといけません。お片付けもちゃんとしっかりできるようにならないといけません。お片付けができないとママに怒られます。

「何でこんなのができないの！」

最初は〝お受験なんて〟と思っていた私もいざやるとなると、ついつい熱が入ってしまいます。

「脱いだものはちゃんと自分でたたんで！」

娘は何度言ってもできません。靴下脱げば脱ぎっぱなし、ズボン脱げば脱ぎっぱなし。何回言ってもダメ。どんなに教えてもできません。

着替えが終わったと思ったら、もう次のことに意識が行ってしまうのが娘の性格。脱いだ服をたたむという意識がまずありません。「着替えたら次に何しよう」と意識がそっちに行って、今脱いだばかりの靴下やズボンのことはすっかり意識の外。だからそのまま脱ぎっぱなしで次の遊びに行ってしまいます。興味があることにしか目が行かない娘には、そもそもお受験は向いていなかったのです。

お受験で驚いたのが親が着ているスーツの色。お受験のための集まりや、学校の説明会に行くと、なぜかみんな紺のスーツ。

「え？　どういうこと？　何でみんな紺なの？　ベージュとか白とかじゃダメなの？」

イタリア移住生活から戻ってきた私には〝紺一色〟のスーツはどうしても違和感を感じてしまいます。主人の実家があるヴェネト州は、ベネトン発祥の地。ベネトンのあの色鮮やかな色使いはまさにイタリア特有の色使い。そんな色彩豊かなイタリアから戻ってみたら、紺一色の日本のお受験スーツ。事情がわからない私はお受験用に通っていた塾の先生にも聞いてみました。

「スーツは紺じゃないといけないんですか？　他の色を着たらダメですか？」

先生は真面目な顔で私の質問に答えてくれました。

「目立ちたくなかったら、紺にしてください」

初めてのお受験経験のうえに、イタリアから帰ってきたばかりの私にはもの凄いカルチャーショック！

「なるほど。お受験は目立っちゃいけないのか」

何よりも〝自分〟を大事にして自己主張をするイタリア人と違って、昔から日本では周りとの協調性が重んじられます。お受験もそう。一人だけ目立つのは学校側への印象が良くないからやってはいけないのです。これも日本特有の〝横並び〟教育の一環なのかもしれません。「ちょっと無理かも……」と、あまりのカルチャーショックにお受験をやめようかとも思いましたが、一度乗りかかった舟でとりあえずやってみようとお受験してみました。

★イタリア人気質には向かないお受験システム

お受験ではその学校の校風に合う子かどうか、生活態度などの躾も判断されます。他の子に迷惑にならないように生活できるか、自分のことは自分でちゃんとできるか、そういう生活面も合否の要素です。

何度言ってもできない娘は靴下もズボンも脱いだらそのまま脱ぎっぱなし。口が酸っぱくなるほど何度言ったかわかりませんが、どんなに言ってもダメ。ズボンを脱いだらそのまま、カニの抜け殻のような形で脱ぎっぱなし。

小さい頃はもちろん、中学生くらいまでそうでした。靴下やズボンどころか、パンツがその辺に脱ぎっぱなしのこともありました。

「ちょっと彩来ちゃん、パンツここにあるよ！」

たとえばバレエの練習に行くときなど、バレエ用のパンツにはき替えないといけません。そうした着替えのときに、部屋で脱いだパンツをその辺に置きっぱなし。

彼女の中では「バレエに行く」ことしか意識にないのです。意識が先のほうに行っているので、パンツを脱いだことすら忘れてる。だから脱いだらそのまんま。お受験でもそこがひっかかりました。

「今からお庭に遊びに行くから、靴下ここに脱いでね」

お庭に出て遊ぶときに脱いだ靴下をどうするか、ちゃんと折りたたんできちんと置いてからお庭に出られるかどうかを見られるのです。

他の子たちは脱いだ靴下をちゃんとお行儀よく折りたたんできちんと置いてからお庭に出ていきます。

「はい、彩来ちゃん、靴下ここに脱いでね」

先生に呼ばれた娘はいつものように靴下を脱いだらそのまま脱ぎっぱなしで嬉しそうにお庭に飛び出ていきました。

その姿を見た瞬間、「お受験はダメ」と確信しました。

昔から娘は楽しいことが目の前にあるとワ〜ッとそっちに行って、他のことを忘れてしまうのです。今目の前にあることが楽しければ、それを楽しもうとする。

「お庭で遊べるの楽しい！」

きっと娘の意識の中ではそのことでいっぱいになっていたのでしょう。楽しいと思うとそっちに意識が行ってしまう。だから靴下も脱いだら脱ぎっぱなし。

そもそも娘にはお受験は合いませんでした。娘も私も日本特有のお受験に向いていなかったのです。

日本の教育では〝個性〟よりも〝協調性〟が求められます。協調性より〝自分〟を大切にするイタリア人気質の娘には、日本の教育自体が息苦しく感じてしまうのでしょう。

お受験でことごとく有名小学校を落ちましたが、でもそのお陰で入ったインターナショナルスクールが娘には合っていました。インターナショナルスクールは子供たちが自分の力で学ぶ自主性を重んじる教育。自分から進んで学習することでのびのびと自由に学ぶことができる。

「人生万事塞翁が馬」という言葉があるように、そのときは残念なこと、悪いことだと思うようなことでも、後から振り返ってみれば「それで良かった」と思えるものです。〝ご縁〟というのはきっとそういうこと。娘もお受験に失敗したことで、娘に合った学校に行くことができました。

「無理して入れようとしなくても、その子に合ったところに行くものなんだな」

ご縁があった場所は最高の場所。お受験を通して私はそのことに気づかせていただきました。

★英才教育はしないイタリア流教育

スポーツでも音楽でもお勉強でも、日本では当たり前のように行われている〝英才教育〟ですが、イタリアでは小さいときから専門知識を教え込むような英才教育はありません。日本と同じように〝習い事〟をする家庭もありますが、それも一部。

たとえば日本だと小さい頃からバレエ教室に通って本格的なバレエを習いますが、イタリアのバレエ教室はもっと自由に踊らせて、遊びの一環で楽しくリズム感を養ったり、踊ったりしている感じ。小さい頃からビシッと教え込むようなことはしないのです。

娘は高校1年の終わりに〝音楽の道に進む〟と決めて音大への進学を決めましたが、日本の音大は小さい頃から英才教育を受けていた子でないとほぼ合格は不可能。そうした事情もあってイタリアの音楽院を受けようと決めたのですが、イタリアの子供たちは自由に自主的に学ぶのが基本。日本のような英才教育とは無縁です。

音楽に限らず、イタリアではスポーツも英才教育はありません。セリエAで世界に知られ、ロベルト・バッジョやフランチェスコ・トッティなどの世界的な選手を輩出しているサッカー強豪国のイタリアですが、イタリアのサッカー少年たちは日本のように小さいときから毎日練習するようなことはありません。

強豪選手を育てるにはさぞかし厳しい練習を課しているのだろうと想像してしまうかもしれませんが、実はその正反対。イタリアではサッカー少年たちの練習は〝週2日（平日）〟、練習時間は1回90分が基本です。週末は試合（1試合）しますが練習はなし。つまりイタリアのサッカー少年の活動は〝週3日〟。ルールも子供のサッカーでは〝オフサイドなし〟など、ルールに縛られて縮こまらずに、自由にのびのびとさせるのが基本です。イタリアのみならずヨーロッパのサッカー選手は、日本のように小さい頃から毎日のように厳しい練習をすることはしないのです。

その点、日本のサッカー少年たちは朝練も含めて毎日のように厳しい練習をしています。厳しいトレーニングをしたうえに週末は試合もこなす。小さい頃から英才教育を施すのはいいのですが、まだ体ができていないうちからハードな練習を続けていると、どうしても筋肉を傷つけがちなので、いざこれからという段階で故障したりして選手として壊してしまう恐れがあるといいます。

自由にのびのびと育てるイタリア。ハードな練習で厳しく鍛える日本。

これもお国柄なのでしょうが、イタリアの実情を見ると、日本の英才教育の弊害が見えてくる気がします。

★〝主体が自分〟で自主的に学べるインターナショナルスクール

幼稚園を卒業した娘はインターナショナルスクールに入学しました。

当初娘が入学したスクールは〝複式学級〟制のインターナショナルスクール。複式学級というのは、2つ以上の学年が一緒になって1つのクラスになるクラス編成で、学年の違う子たちが一緒のクラスになることで、上の子が下の子の面倒を見たり、学年を超えた交流ができたり、同じ学年だけで編成するクラスでは学べない体験をすることができます。そのうえ、授業はどの科目も英語と日本語で交互に授業を行うことで、日本語と英語の語彙力が同時に養えるという授業を行っていました。

娘にとって良い教育環境だったのですが、2年生で別のスクールに転校しました。というのも最初に入ったスクールは中学校までしかないので、高校は別のスクールに進学することになるのですが、そのスクールが推奨していたのが「海外の高校に進学する」こと。いざ入学して通うようになってみると「高校から海外に行くのもどうなのかな……」という思いが私の中に生まれてきました。

そうした事情から小学校2年生で転校。2年生から通ったのが「インターナショナル・

バカロレア」を採用しているKインターネショナルスクールでした。

インターナショナル・バカロレア（IB）とは、国際バカロレア機構が提供する国際的な教育プログラムのことです。

世界各国どこに行っても共通のカリキュラムで勉強できるというのがバカロレアのシステムです。たとえば親の仕事の関係で（大使館や駐在員など）世界各国を転々としなければいけない場合、その家庭の子供が別の国に移るたびに違うカリキュラムを受けなければいけないのでは困ります。その点バカロレアならどこの国に行っても共通のカリキュラムを受けることができます。

インターナショナル・バカロレア認定校は現在、世界160以上の国と地域に約5，600校あって、日本国内にも100校以上のバカロレア認定校があります。

ここで少しバカロレアについてご説明しておくと、バカロレアの教育の特徴は〝主体が自分〟だということ。授業も〝先生が生徒に教える〟というような、通常の日本の学校で行われている受け身の授業はほとんどありません。テーマ（課題）をリサーチして（調べて）エッセイ（論文）を発表する形式の授業がほとんど。その結果、子供たちがロジック的（論理的）にものを考えられるようになります。

バカロレアの小学（PYP：プライマリー・イヤーズ・プログラム）では一般の小学校

のように教科書を使って先生が生徒に教えるような授業はありません。そもそも教科書自体がないのです。教科書を使って教える通常の学校教育に慣れている親からすれば「大丈夫かな?」と心配になりますが、ちゃんと世界共通のカリキュラムがあって、それに沿って先生が自由にテーマを決めることができるようになっているので、教材、題材は先生次第。中学(MYP:ミドル・イヤーズ・プログラム)になると教科書はありますが、やはり先生から教えてもらう受け身の授業ではありません。自分で調べて、自分で答えを得るのが基本。調べたいテーマも自分で決めてエッセイ(論文)を書いて発表する。

たとえば息子(娘と同じバカロレア)の例でいうと、高校のときに日本語のテーマに選んだのが日本文学の『箱男』(安倍公房)。それもただ感想文を書くのではなく、この作品の背景や作者の意図などを調べて自分の考察をエッセイにまとめる。マークシートや○×式ではない、「この作品の主題は何だろう?」と自分の頭で考えることが求められます。

また、息子は小さい頃からサッカーが大好きでしたので、数学のエッセイ(論文)でもサッカーをテーマに選びました。世界的に有名なサッカー選手クリスティアーノ・ロナウドのキックの軌跡をモーショントラッカーで数値化し、自分のキックと比較して、数学的・物理的にその違いや改善点を導き出し、論文としてまとめました。

とにかく考えさせる、興味があることは自分から進んで徹底的に突き詰める〝探求心〟

を育てる教育。〝自分力〟をつける教育。

教科は日本語・英語・算数（数学）・理科・社会……日本の学校と同様に分かれていて、PYPの5年間（G《グレード》1〜G5：1年生〜5年生）、MYPの5年間（G6〜G10：6年生〜10年生）、そして日本でいう高校のDP（ディプロマ・プログラム）が2年間（G11〜G12：11年生〜12年生）で構成されています。小学校〜高校まで12年間なのは通常の日本の教育システムと同じですが、DP（ディプロマ・プログラム）の授業内容は大学生並みのレベルで、高い知識を身につけます。

このDPで修了資格（大学入学許可資格）を取ると、DPを受け入れている世界中どこの大学にも入学試験なしで入れます。

これは日本でいう〝推薦入学〟に似ていますが、一般の受験とは別のルートで選抜されます。大学の求める条件（DPの点数など）を満たせば、世界各地の行きたい大学に申請でき、審査に合格すれば入学できるというシステムです。

DPの科目は選択制で、興味がある分野や希望大学に必要な6教科を選び履修します。その他、必修の科目として、課題論文（EE：Extended Essay）、知の理論（TOK：Theory of Knowledge）、創造性・活動・奉仕（CAS：Creativity/Activity/Service）の3科目を行う必要があります。各教科が難しいのもそうですが、勉学以外にも社会体験を通して、何をどのように考えて、どのように自分自身を成長させていくかということも問われています。

進級も厳しくなります。日本の義務教育では考えられませんが、小学生といえども留年します。学校規定のレベルまで達していないと進級できないこともあるのです。

たとえば「数学のレベルが足りないので、このまま進級しても本人が大変な思いをするのでもう1回同じ学年を履修して理解を深めましょう」というケース。

しかし、留年にあまり負のイメージはありません。その子、その子で理解度やタイミングは異なるものです。その子に合ったペースで学習を進めていく。この年齢だからこの学年であるべき、というような考え方はあまりありません。実際、娘のクラスにも、娘より年下もいれば年上もいましたし、私は息子に、一度留年を勧めたこともあります。

子供たちが通っていた学校は、1学年は2クラス。1クラスは25人がマックスで、1学年40人から50人ぐらい。その中で日本人は何%、アジア人は何%……というような規定があって、いろいろな国籍の子が入り混じっています。異文化理解や様々な異なる視点に触れるという貴重な体験ができるのです。

また、日本の学校では見かけないカリキュラムですが、娘の学校では学年の上の子が下の子の面倒を見るボランティアのカリキュラムが組まれていました（前述したCASの一環）。

どんなボランティアをするかは選べるようになっていて、娘が選んだのは〝チャイルドケア〟。放課後に中学生や高校生がキンダー（幼稚園）の子たちの面倒を見るベビーシッター的なボランティアで、日本の学校でいう学童保育のようなことを学校内で上級生がやってくれます。

親御さんの中には仕事をしている人も多くいて、キンダーは3時ぐらいには終わってしまうので、そこから5時、6時まで上級生が面倒を見るのがチャイルドケア。娘は自分から進んでチャイルドケアを選んで下の子たちの面倒を見ていました。

面倒見がいいのは娘の性格なのでしょう。小さい子からは「サラ、サラ〜」と呼ばれ、慕われていました。高校を卒業してイタリアの音楽院に行ってからも、アルバイトでベビーシッターをやっています。

実は娘が高校生になるときに転校するかどうか考えました。11年生になるとDP（ディプロマ・プログラム）が始まります。何しろ大学生レベルの知識を習得するのですからかなり勉強が大変。しかも娘が通っていたバカロレアは、その後（娘が卒業した後ですが）世界でトップ5に入るほどのバカロレアの中でもかなりレベルの高い学校。娘の負担にならないか、親としては心配でした。

日本の高校でも「国際人を育てよう」とIBプログラム（インターナショナル・バカロ

レア・プログラム）を採用している高校があって、転校してもその学校であれば共通のカリキュラムを受けることができます。

「そっちの学校に転校すれば？」

娘に相談すると、娘はきっぱりと言いました。

「嫌！　行かない。友達も好きだし、学校も好き」

嫌なものは嫌だときっぱりと意思表示する娘は一度決めたら親が何と言おうと変えません。しっかりと自己主張をするだけでなく、自分が決めたことを現実化してしまうのが娘です。

このときも「どうしようか？」「どうしたらいいと思う？」なんて迷うこともなく、はっきりと「嫌」。

その強い意志が、娘のその後の人生を決めることになりました。

★初めて歌ったオペラが導いたイタリア音大への道

娘が通っていたインターナショナルスクールは、日本の廃校になった小学校を貰い取って校舎として使用していました。だから校舎も校庭も雰囲気は日本の小学校の佇まい。幼稚園から高校までと大所帯なので小学校の校舎だけでは手狭なため、脇に新しい校舎を建てて、キンダーとプライマリーの子たちが入っていました。

娘のスクールの年度末に行われる文化祭（End of the Year Concert）は、学年ごとの出し物と、それ以外に学校側がオーディションをして出演者を選ぶステージがあります。ステージではバンドで音楽を演奏したり、ダンスを披露したり、詩を朗読したり、オーディションでOKとなった生徒たちがステージに立てます。

娘が高校1年（10年生）のときは、文化祭の他にミュージカル公演を行うことになりました。ミュージカル『美女と野獣』です。台本はディズニー社公認の学校ミュージカル用の台本で、衣装も自分たちで作ったり、売っているコスチュームを買ってきたり、かなり本格的なミュージカルです。

歌に自信があった娘はオーディションに立候補しました。小さい頃からお姫様が好きで、ディズニーのお姫様ものは全部見ています。興味があることには徹底的に入り込む娘ですから、歌もセリフも主人公のプリンセスだけでなく、脇役のパートまで全部頭に入っています。こうしてヒロイン・ベル役に抜擢されました。こうした経験も娘が〝歌の道に進む〟背中を押してくれたと思います。

本格的に「音楽の道に進む」と娘が決めたのは、高校1年の終わりでDPが始まるちょうどその前。音楽の先生に言われた一言が娘の進路を決めました。

「彩来、あなたは歌をやったほうがいい。歌の道に進みなさい」

それまで娘はシェイクスピアが好きで、英文学の道に行きたいと思っていました。英語の時間に勉強した『ロミオとジュリエット』などの戯曲が好きで、演じることが好きだった娘は、そちらの道に進もうと考えていました。そんな娘の気持ちを音楽の先生の一言が変えました。

たぶん自分の中でも何か感じているものがあったのでしょう。そうでなければ人に何を言われても自分が興味がなければ右から左へと流れてしまう娘のこと、先生の言葉も聞き流していたはずです。

「歌の道に進もう！」

娘がそう決めるきっかけになったのは、中学3年のときの文化祭。そのステージで歌ったプッチーニのオペラ『トゥーランドット』のアリア「誰も寝てはならぬ」。

あるときアメリカで人気のオーディション番組『アメリカズ・ゴッド・タレント』（自分の特技を披露して合格するとメジャーデビューできるオーディション番組）で小さい女の子が『ネッスンドルマ～誰も寝てはならぬ～』を歌っているのを見た娘は直感でビビッとひらめきました。

「これなら私に歌えるんじゃない？」

♪Nessun dorma! Nessun dorma!♪

『トゥーランドット』はイタリアのトリノオリンピックで金メダルを取った荒川静香さんがフリーの滑走曲として使っていた音楽。浅田真央ちゃんに憧れて6才から4年間ほどコーチについてスケートを習っていたスケート好きな娘には馴染みの曲だったこともあるかもしれません。

「何か歌えちゃった！」

生まれて初めて歌ったオペラ。一度も練習したことがないオペラの曲を初挑戦で歌えたことで、娘の中で歌に対する思いが広がりました。

「ちょっとオペラって楽しい！」

オペラの楽しさに気づいた娘は、それからＹｏｕＴｕｂｅを見ながら独学でオペラを学びました。

そして中学3年生のときの文化祭。

学内オーディションで合格し、ステージで披露した『トゥーランドット』は大喝采を浴びました。

「ちょっと彩来、今度イベントがあるから来て」

後日、理事の先生から娘にメールが届きました。学校関係のお食事会の席で歌って欲しいというのです。会場は帝国ホテル。

普通なら緊張しそうなものですが、娘の場合は緊張よりも「楽しい」。大勢の前で歌えることが「嬉しい」。

「オペラって楽しい！」

こうした経験が徐々に娘の中で〝オペラ歌手〟を意識していくきっかけになったのでしょう。そして高校生になって音楽の先生から言われた「彩来、あなたは歌をやったほうがいい」の一言で娘の未来が決定しました。

「私、歌の道に進もう！　オペラ歌手になる」

きっかけはテレビのオーディション番組を見て「何か歌えそう」と思ったこと。それから文化祭のステージで歌い、ミュージカルで歌い、イベントで歌い、先生の一言で進路変更。偶然のように思えるかもしれませんが、きっとこれも娘がどこか意識の中で思い描いていた未来なのでしょう。

「私、音大に入る」

それまで文学の道に進むと言っていた娘がいきなり音楽の道へ。

シェイクスピアからオペラへ進路変更！

「どうやったら音大に入れるの？」

まずそこから調べ始めました。

高校卒業まであと2年。家中が大騒ぎになって、娘も私も夢中で音大行きの準備を始めました。

★「進む道が違ったら変えればいいや」がイタリア人の発想

職人の国イタリアでは、学校は〝プロの職人〟を育てるところ。娘が通っている国立音楽院（コンセルヴァトーリオ）もプロの音楽家を養成する学校。

「音楽院はプロ養成学校だからね」

イタリアの音楽院に留学経験があり、長いことイタリアに在住していた娘のピアノの先生からそう教えられました。

日本だと音大を出たからといって、誰もが皆すぐにプロの音楽家になれるわけではありません。でもイタリアの音大（国立音楽院）は、プロを育てるための学校。教える側の先生たちにもそういう認識があります。そこがもう日本の大学とイタリアの大学で全然違うのです。

年齢問わず、いつからでもやりたいことを学べるのがイタリアの教育。でも入るには入っても〝プロになる〟という意識が低ければ、ついていけないのもイタリアの教育。生半可な気持ちで入った学生は辞めてしまいます。だから学生のときから〝プロ意識〟が高いのです。

「日本人はプロ意識がない」

主人がいつもそう言います。

たとえばイタリアではレストランのウエイトレスのアルバイトの子ですらプロ意識を高く持っています。レストランのホールスタッフたちは絶えず自分の考えで行動しています。誰から何の指示をされなくても自分の判断で動く。テキパキと自分の意思で動いて、しかも臨機応変な対応ができます。そこには彼らの〝プロ意識〟があります。

ところが日本ではホールスタッフの動きはマニュアル化されています。マニュアルに書かれていること、上から指示されたことはするけど、それ以外のことはできない。そこにプロ意識はありません。

イタリアではマニュアルを見たことがありません。イタリア人はアルバイトだろうと、自分の仕事に誇りを持ってプロとしての意識を常に持っています。

イタリア人と日本人の違いは〝プロ意識〟があるかないか。それがイタリアが〝職人の国〟と言われる所以です。

「〝しょうがない〟って言葉は便利だよね。最初は凄く嫌いだった。レストランのスタッフが〝これできないからしょうがない〟って言うのが嫌。何しょうがないって？　しょうがなくないよ。頑張ってやらないとダメでしょ」

日本に来た当初、主人は日本人スタッフが口にする「しょうがない」という言葉が許せなかったといいます。プロ意識の高いイタリア人は仕事のときに「しょうがない」「できない」「無理」などという否定的な言葉は決して使わないのです。

「〝しょうがない〟と言ったらそこで終わる。自分で壁を作ってしまう。やりたくないだけでしょ。でもやらなくちゃいけない。仕事だから。〝しょうがない〟〝できない〟は仕事ではあり得ない。何とかするのがプロの仕事」

主人に限らず仕事に対して責任感を持って厳しい姿勢で臨むのがイタリア人です。

かつての日本もそうでした。でも今は日本人の中ある〝プロ意識〟が次第に薄れているように感じます。それは日本とイタリアの教育システムの違いにも関係しているように思います。

イタリアでは高校から自分のやりたいと思う道に進みます。つまり中学で自分の将来の方針を決めるのです。

イタリアには日本のような〝普通高校〟ではなく、日本でいう〝専門学校〟のような高校が多くあります。日本の学歴社会と違ってイタリアは学校も専門の職人になるための学校です。

たとえば音楽、絵画、料理、革製品、靴、エンジニア、医者……といったスペシャリストを育てるための学校。イタリアでは小学校、中学校が終わったら、自分が学びたい専門分野を選びそれができる学校へ通います。そこからイタリア人の職人気質が養われていきます。

かつてルネサンスで新たな芸術を開いたイタリアは、小さい頃から日常の中で芸術に触れて育っているせいか、その優れた感性を持った人たちが〝職人〟になっていきます。革製品、洋服、靴、家具、カーテン、車……世界に名だたるブランド品はイタリアの職人技で作ったものばかり。職人の手づくりです。

〝プロフェッショナル〟であることにイタリアの職人たちは誇りを持ち、イタリア人もイタリアの職人技に誇りを持っています。こうして高校からプロの〝スペシャリスト〟になるための道を歩み出すのです。

「高校生で将来自分がやりたいことがわかるの？」と思う方もいるでしょう。日本だと大学生でも将来自分がやりたいことを見つけられずに何となく就職する学生も多いのに、高校生、まして中学生のうちから自分のやりたいことが見つけられるのかと。

大丈夫。そこが日本とイタリアの大きな違い。

「進む道が違ったら変えればいいや」

自分が選んだ道が〝違う〟と思えばやり直せばいい。イタリアでは高校でも途中で別の高校に入り直す人が当たり前のようにいます。

主人の一番下の妹も美術の高校を卒業して就職しましたが、20代後半に仕事を辞めて再度学校に入り学び直しました。

「やっぱりこれがやりたい」と思えば、たとえそれが何才であっても、学び直せばいい。日本だと高校を辞めると〝ドロップアウト〟的に思われて悪いイメージですが、イタリアは日本ほど周りの目を気にしません。日本人ほど世間体に縛られることもありません。

周りの目、世間体より何よりも大事なのは〝自分〟。

とにかく自分が中心にあり、やりたいと思うことが第一。

〝自分〟というアイデンティティが確立しているのです。それが彼らの〝プロ意識〟にも繋がっているのだと思います。

★個性を殺す日本の教育、個性を伸ばすイタリアの教育

世界中を巻き込んだ新型コロナ騒動ですが、当然のようにイタリアでも厳しい規制がありました。日本でも緊急事態宣言が出て外出規制などがありましたが、イタリアの規制は日本以上の厳しさ。2021年から2022年にかけて「グリーンパス」「スーパーグリーンパス」が導入され、国民の行動が制限されました。

この「グリーンパス」は、ワクチン接種者、コロナから回復した抗体保有者がもらえる〝安全証明書〟。逆に言うと、このパスがなければ公共交通機関の乗り物をはじめ、レストランや映画館などの施設などにも入れず、厳しい行動制限を課せられました。そしてこのパスは職場や学校への提示も求められるのですから国民への影響は計り知れません。これらのパスがない人は学校や仕事に通うにも2〜3日間ごとのPCR検査の陰性証明が必要でした。マスク規制も日本以上。日本では原則的にマスクは任意で、するもしないも個人判断でしたが、イタリアではマスクをしていないのが見つかると罰金が科せられていました。

マスクといい、グリーンパスといい、政府の規制でがんじがらめに縛りつけられたイタリアですが、どんな状況でも今を楽しく過ごすのがイタリア人です。外出規制で外に出る

ことはできなくても、人々は自分の家のベランダに出て歌を歌い、隣人たちと絆を深め合いました。

娘の通う学校も、学校の中では多くがマスクはしていませんでした。規則では学校内でもマスク着用ですが、警察に見つかる心配がないところではみんな外していました。日本人のように〝他人の目〟を気にして、したくないマスクをするような習慣はイタリア人にはありません。普通にみんな学校に行って、みんなで歌のレッスンをして帰りにカフェに寄って毎日を楽しむ生活。そこに閉塞感はありませんでした。日本では学校も仕事もほとんどオンラインになって、お店も早く閉まってしまうし、お酒も飲めない。どこに行ってもマスクや規制で縛られて息苦しくなるほどの毎日でしたが、娘はというと、たとえコロナの規制下でも臨機応変な対応で、閉塞感なく、今を楽しんで生きていました。

そんなイタリアも2022年の5月から厳しい政府の規制措置が解除になりました。マスクの着用も解除され、街中でも堂々とマスクなしで歩けるようになりました。それまでは警察に見つかると罰金を取られるため嫌々でもしていたマスクを規制解除とともにみんな一斉に外しました。自由が基本。自分がいかに心地良く生きるかがポイントのイタリア人です。

一方日本人はといえば、政府から「マスクは任意です」とアナウンスがあってからもいまだにマスクを外せない人がいます。他人の目を気にする、体裁を気にする日本人の特性なのでしょう。イタリア人が見ると、いまだに日本人がマスクをしているのは異様な光景に映ると思います。

規制解除とともにみんな喜んで一斉にマスクを外したイタリア人。規制がないのにずっとマスクをしたままの日本人。それぞれの国民性がこのマスクにも表れています。

日本人がイタリア人のようにマスクを外せない理由の一つに教育が挙げられると思います。日本の教育は受け身型。先生のお話をよく聞き、先生の言うことをよく守る、そういう子が〝いい子〟。そこから外れると〝悪い子〟にされて〝異端児〟扱いです。そもそも教育からして日本の子供たちは自分の好きなこと、やりたいことを素直にできないようにしているのです。

その点イタリアの教育は〝個性を生かす〟教育。先生の言うことを聞くのではなく、自分から自主的に考え、創造し、経験して学んでいく。自分のやりたいことができる教育。イタリアはそれが個性になります。でも日本ではときに個性が〝悪〟のように扱われます。お受験でも紺のスーツ以外はダメだったように、目立つ者、はみ出し者は異端児。一言でいえば日本の教育は〝個性を殺す〟教育なのかもしれません。

その教育の犠牲になっているのが日本の子供たち。進学できるかどうかは学校の成績や先生の内申にかかっています。だから「先生の言う通りにしていい子にしなきゃいけないんだ」と委縮してしまう。日本ではそれが当たり前のようになっています。まるでロボットみたいに。

だから学校に行きたくない引きこもりになってしまい、親はその子たちを「学校に行きなさい！」と無理にでも行かせようとする。悪循環。本人が行きたくないものを無理に行かせてもいいことがあるはずありません。だったら行かないほうがいい。「行きたくないなら行かなくてもいい」という発想がないのです。

そもそもイタリアには〝不登校〟という言葉すらありません。イタリアでは自分がやりたいことがあるからその学校に行くのです。自分が好きで行くのに、そこに〝不登校〟なんてあるわけがありません。もし学校に行ってみて、自分のやりたいことが違っていたら辞めてもいい。またやり直せばいい。それがイタリアでは普通のこと。日本のように〝ドロップアウト〟なんていう発想はありません。辞めたかったら辞めて、いつでもやり直せるのがイタリアです。

もちろん日本の教育、イタリアの教育、それぞれ良い面悪い面はあるでしょう。でも日本の教育を見ていると子供たちの個性を伸ばすような教育をしているとは思えません。型にはめずにもっと自由に個性を伸ばすような教育になれば、日本の子供たちも個性豊かに、自分のフィールドで生きていけるようになるのではないでしょうか。

イタリア人は〝自分が主役〟です。ところが日本人には〝自分が主役〟という意識がない人が多いのです。常に誰かの言うことを聞く。それは日本の教育の弊害です。

日本では子供の頃から「誰かの言うことを聞いていたら間違いない」という教育を受けて育ちます。先生の言うこと、親の言うこと、年上の人の言うこと、社会の言うこと。言うことをちゃんと聞く子が〝いい子〟。だからいつも指示待ち人間。指示がないと動けない。そういう人が日本人には多いように思います。

イタリアでは自分で考えて行動するのが当たり前。そもそも国を信じていない人が多いので、国が言ったことでもすぐには信用しません。日本は自分から考えて動くことをしない人がいかに多いことか。

いつから日本人は考えなくなってしまったのでしょう。自ら考え、自らの判断で行動する。それは〝自分をしっかり持っている〟〝確固とした自分がある〟ということ。

日本人が失いつつある〝自分〟を、今この時代だからこそ、意識してみる必要があるのだと思います。そしてそれは〝自分の人生をしっかり生きる〟ということに繋がるのだと思います。

娘はイタリア音大生

―イタリア生活―

6

6° Capitolo Mia figlia, una studentessa al conservatorio in Italia

― Vivere in Italia ―

★イタリアの大学は厳しい〝プロ養成学校〟

娘がイタリアの音大（国立音楽院）に行くと決めたのは、高校1年生（10年生）の終わり。高校卒業まで残り2年あまりとなった時期に急遽進路を変更した娘には、音大進学のためにやらなければならないことが山ほどありました。

まずはじめに「どこの国の音大に行くか」です。というのも日本の音大に行くためには、小さい頃から音楽の英才教育をしてやっと入れるレベル。それほど入るのが難しいのが日本の音大です。

娘はすでに高校2年生。今の今までシェイクスピアの道（英文学）に進むつもりだったのが突然の進路変更。音楽といえば3才からヴァイオリンとバレエはやっていたけど、ヴァイオリンは耳から聴いて音を出す方式（スズキ・メソード）で習っていたのでちゃんと楽譜も読めなければ、そもそも音大進学に絶対必要なピアノをやったことがありません。娘の現状では、小さい頃から音大目指して英才教育を受けてきた他の子たちと競うのはさすがに無理。残念ですが2年間ではどう頑張っても日本の音大の合格レベルに達するのは難しい。

そこで日本以外の国の音大を探してピックアップしたのがアメリカ、イギリス、イタリアの音大でした。そしてその中から選んだのがイタリアの音大。正式には〝大学〟とは言わず〝音楽院（コンセルヴァトーリオ）〟と呼ばれ、世界中から音楽を学びたい多くの学生がやって来ます。

この音楽のプロを養成する学校を、あの有名な映画音楽作曲家（『荒野の用心棒』など）のエンニオ・モリコーネさんも卒業しています。もっともモリコーネさんの時代はイタリアにもいわゆる英才教育があって、8才とか9才といった小さい頃からコンセルに入って専門教育を受けていたので、今とはシステムが違いますが。

イタリアの大学の特徴はいろいろな年代の人が学んでいること。一度社会に出て仕事についてからでも「音楽を学びたい」と音楽院に通う人もいます。もちろん受験して合格しなくてはいけませんが、年齢に関係なく「入りたい」と思ったときにいつでも入れるのがイタリアの大学。

日本からもイタリアに音楽留学する人もいますが、たいていは日本の音大を出てからイタリアに行くので、年齢的には22、23才。娘のように高校を卒業して18才で音楽院に入るのは割と早いほうです。イタリア人の中には18才より前に音楽院に入る子供たちもいます。

しかも学費が驚くほど安い！　日本円で1年に12万円程度（今はもう少し上がってい

るかも）ですから1ヵ月の学費は1万円ほど。日本の国立大学の学費（年間平均学費約535000円）と比べていかに安いことか。

学費負担が少ないこともあって、イタリアでは仕事をしながらでも比較的容易に大学に通えます。それだけ門戸が広がっているので、年齢を問わずにやりたいことを学べる環境が整っています。

ただし、よく言われるように「入るのは難しくても出るのは簡単」な日本の大学と違って、イタリアの大学は出るのが難しい。

たとえば音楽院ではプロとして活躍するために必要な音楽の知識を徹底的に学び、プロの音楽家として一人前になって卒業する〝音楽のプロを作る〟学校というイメージ。だから厳しいカリキュラムで、生半可な気持ちで入ってはついていけずに挫折して途中で辞めていく人も多くいます。

逆に言うと、大学を卒業してその道に就いた人たちは〝プロ意識〟が高く、卒業後からすぐにプロとして活躍していきます。

そんなイタリアの厳しい〝プロ養成学校〟を目指すというのですから親としては心配になります。「大丈夫なの？」というのが当時の正直な気持ちでした。

しかも娘の場合、音楽以外にも乗り越えなければならない壁がありました。それがイタリア語。

イタリアの大学に入るには、大学レベルのイタリア語ができないといけません。いわゆる英検のようなイタリア語検定を受けて〝B2〟レベルを取得しないといけません。

このB2レベルというのは、日常生活の広範囲な場所に対応できて、勉強や仕事において的確に意思伝達できるレベルで、イタリア語の授業を約250〜300時間受講したレベルに相当します。

でも娘はといえば主人と日常会話をしたり、イタリアの主人の実家に行ったときにおばあちゃんや家族と話す程度。とても大学レベルのイタリア語とはいえない〝なんちゃってイタリア語〟。しかもイタリア語は文法が難しくて（1つの動詞で6段階活用も）覚えるのも大変。そんなレベルの娘が2年間で大学レベルに達するのかどうか、ますます心配になってきます。

音楽院を訪ねて歌の先生に進路相談したときにも、

「今のサラのレベルでは無理です」

「入れません」

……そう断言されました。

もっとも確かにその通りで、歌は正式に習ったことがないので、発声方法もまったくなっていませんでした。これでは学校サイドが「無理」と判断するのも当然です。勧められたのは、プレペデューティコと呼ばれる音楽高校のようなところ。

それでも娘はへこたれて落ち込んだりしませんでした。

「〝無理〟って言われたけど、ママ、大丈夫！　彩来、絶対入るから!!」

根拠のない自信。でも本人は自信満々で「絶対入る」。

たぶんこのときすでに娘には〝イタリアの音大に合格する〟未来のイメージが描かれていたのでしょう。

根拠のない自信でも、強い意思で自分の思考を現実化してしまう。それが娘の不思議なチカラ。子供の頃からそんな娘を見てきたので、このときも確信を持って見守ることにしました。

「彩来はきっと大丈夫！　絶対受かる」と。

それから娘はイタリア語を猛勉強。初心者コースから始まって、2年間で2回試験を受けて、最後は大学受験レベルまで達しました。

そして、歌のほうはというと……娘が高校2年のとき、イタリア文化会館で行われたイタリア留学フェアへ予定も立てずに参加したときのことでした。毎年行われているイタリア留学フェアにミラノの音楽院が初めて参加していたのです。

イタリアの音楽院は何もしなくても世界中から優秀な生徒が集まってきます。だからこういった大学説明会のようなところにわざわざ出向く必要がなかったのです。しかしこの年は、どういうわけか音楽院が初めて参加していました。しかもいらっしゃっていたのは、ミラノのヴェルディ音楽院の副校長先生でした（現在は校長となられました）。

その通訳をされていたのが、オペラ専門のピアニストで、今でも交流が続いている、娘の先生です。そのピアニストの先生が、イタリア音楽院を卒業された日本人の歌の先生を紹介してくださいました。

そうしたご縁で、本場のイタリア音楽や事情を熟知された先生のもとで、レッスンを受けることができたのです。先生方のレッスンは素晴らしく、娘の歌とイタリア語での楽典（音楽の文法のようなもの）の上達は目を見張るものがありました。

今思うと、こうした出会いは、娘が音楽院へ絶対合格すると決めたからこそ、訪れた出会いだったと思っています。

出会いは偶然起こるものではなく、必要なときに絶妙のタイミングで必要な人と出会う。つまりその強い思いが人との出会いも引き寄せるということなのでしょう。

★『オペラ座の怪人』で叶えたイタリア音大の夢

まだイタリアの音大に行くと決める前、アメリカかイギリスかイタリアか、どの国の音大に行こうか考えていた高校1年（10年生）が終わった夏休み、娘は主人と2人でイギリスに行きました。イギリスのミュージックスクールとコンタクトを取り、そのスクールを見学に現地まで行ったのです。

「イギリスに行くなら『オペラ座の怪人』が見たい！」というのが娘のたっての希望。

『オペラ座の怪人』は、1986年の初演以来、今年2023年に上演37周年を迎えるミュージカルの名作。初演以来変わらずロンドンのど真ん中にあるピカデリーサーカス駅から5分のところにあるハー・マジェスティズ・シアターで上演され、英国らしい重厚な佇まいの劇場に足を踏み入れた瞬間から、これから繰り広げられる『オペラ座の怪人』の世界に引き込まれます。華麗な楽曲とともに繰り広げられるドラマティックなミュージカルは、ミュージカルファンなら一度は見たい作品でしょう。音楽の道に進む娘のためにも一度は見ておいたほうがいい、きっと将来のためになるはずと、さっそくオンラインでチケットを予約しました。

そして観劇当日——『オペラ座の怪人』の生の舞台を見た娘は感動して号泣。ストーリーにも歌にも感激した娘は感動で涙が止まりません。

「私はクリスティンの役をやりたい！」

オペラ座の若手オペラ歌手クリスティン。物語の主人公でもある彼女に娘は感情移入し、心に決めたのです。「絶対にこの役をやりたい！」——と。感動の涙の中で娘は決意しました。

……その隣でパパ、爆睡。

寝ていたパパはさておき、娘は『オペラ座の怪人』を見たことで音大へ進む決意がより強くなりました。『オペラ座の怪人』はミュージカルでも、タイトル通りに〝オペラ〟が舞台。主役のクリスティンが歌う曲もオペラに近い曲。それが余計に娘の心に響きました。

「彩来は絶対、クリスティンになる!!」

それは今はまだ夢かもしれません。でも夢は叶えるもの。信念を持って強く願えば夢は実現する。自分の感情が動けば夢は実現するのです。

『オペラ座の怪人』を見たことで娘の中で確固としたモチベーションが生まれました。「絶対、クリスティンになる!!」という強い思いがあればこそ、娘は頑張れたのだと思います。

そして、IB（インターナショナル・バカロレア）を卒業するための最後の難関である課題論文（EE）では、この『オペラ座の怪人』をテーマにした論文を書き上げました。

★「ピアノってどうやって弾くの!?」……イタリア音大受験への壁

3才からヴァイオリンを習っていた娘ですが、ピアノを始めたのは音大行きを決めてから。家にはピアノがあったので遊びがてら触ったことはあっても本格的に弾いたことはありません。ピアノに関して娘は完全に初心者でした。

音大に行くにはピアノがある程度のレベルで弾けることはマスト。絶対に避けては通れないのです。

ピアノを始めるにあたって、まず最初の関門は楽譜。ヴァイオリンはやっていたものの、娘は楽譜がちゃんと読めません。〝スズキ・メソード〟という、楽譜を見ずに耳で音を聴いて、その音を出すというメソッドで演奏していたので、なんとなく楽譜を見て曲の流れはわかっても、正確には読めないのです。

音楽を習うときのベースは楽譜。楽譜が読めないのは、ひらがなが読めないのと一緒。ひらがなが読めなければ勉強についていけないのと同じように、楽譜が読めなければ音大で学ぶことはできません。

最初は小さな幼稚園の子が弾くような大きな楽譜から。

それでも娘には難しく感じました。

というのもヴァイオリンの楽譜はト音記号だけ。ピアノは両手で弾くので、右手はト音記号、左手はヘ音記号。

「何で同じ線の上に音符があるのに、上（ト音記号）と下（ヘ音記号）でドレミが違うの!?」

そこにまずパニック。

「意味わかんない！」

右手と左手の両方を使って弾くのも初めての経験。

「何で右と左で違う音を同時に弾けるの!?」

何しろ17才で初めて弾くピアノです。どうしても右手と左手で同じ動きになってしまいます。いくら練習しても右手と左手で違う動きができません。

さらにヴァイオリンとピアノでは指使いが違います。ピアノは親指から小指の順番に「1～5」。でもヴァイオリンは人差し指が「1」。ヴァイオリンの指使いに慣れている娘は完全に戸惑ってパニックに陥りました。

「全然意味わかんない!! どうやって弾くの?」

それでも決して諦めず、四苦八苦しながらも猛練習。楽譜が読めないところから始めて

2年間で〝ソナチネレベル〟まで到達しました。

その努力を支えたのは、

「絶対、クリスティンになる!!」

という夢を叶えたいモチベーション。

娘のその強い意思が苦手のピアノを克服する原動力になりました。

当時の娘のスケジュール帳を見てみると、もの凄くハードなスケジュールをこなしていたことがわかります。学校が終わって帰りの電車の中で学校の宿題を済ませ、そのまま九段下にあるイタリア文化会館で行われているイタリア語の教室に行って、家に帰ってくるのは夜10時過ぎ。イタリア語がない日には歌の勉強、ピアノの練習。

端から見ているともの凄く大変そうだったけれど、娘自身はそんな生活を楽しんでいました。

当時を振り返って娘はこう話しています。

「当時の私はバレリーナになる夢がなくなって〝自分はこれからどうすればいいの?〟と目指すものが何もなかった。学校でもプレッシャー。みんな目標の大学に向けて勉強してるし、〝私は何やってるんだろう?〟って不安でたまらなかった。でも〝オペラ歌手になる〟って決めて〝イタリアの音楽院とかイギリスの音大がある〟って聞いたとき凄くホッとした。

〝そこに行けるかも〟って思ったから。新しい夢ができたことで凄く嬉しかった。自分の夢を実現するためにする努力は全然苦じゃない。凄く楽しかった」

自分の夢を実現させるために頑張る。

それは娘にとって楽しいと感じるのです。

とかく日本の受験生は〝受験のためにすべてを犠牲にして頑張る〟とか〝もし落ちたらどうしよう〟というような悲壮感が漂いますが、娘は厳しいスケジュールの中でも悲壮感はまるでありませんでした。音大受験のための勉強を楽しんでいました。

そこにあるのは根拠はないけれど、娘の確信に満ちた自信。

「絶対大丈夫！」

やると決めたら徹底してやる。

その強い意思が娘の思い描く未来を実現させているのだと思います。

★トラブル続きを乗り越えてイタリアへ

娘の音大試験は当初2020年5月の予定でした。高校卒業前に受験してイタリアに留学、9月から音楽院に通うというのが当初の予定。

ところが世界中を巻き込んだコロナ禍で娘の試験も延期。受験日が未定なので飛行機も予約できません。いつ受験できるかもわからない、いつイタリアに行けるかもわからない、そんな状況で娘は高校を卒業したのです。

「これからどうなるんだろう？」

私の心配をよそに娘はいたって平気な顔。

「大丈夫でしょ」

相変わらず根拠のない自信で何の心配もしていません。娘の中では「大丈夫」と確信しているようです。それどころか、「ママ、私8月に行く！」。いつ収まるとも知れないコロナ禍で今後の計画がまったく立てられない中、受験日もまだ決まっていないのに娘はそう決めたのです。一度こうと決めたら娘の気持ちは変わりません。私が何を言おうと右から左。「8月に行くから」と頑として自分の主張を変えないのはいつものこと。

そして、飛行機のチケットを取りました。アリタリア航空（イタリアの航空会社で2021年10月に運行終了）です。出発はちょうどお盆の時期。8月になり出発を間近に控えた一週間前、ピアノの先生から娘にメールが届きました。

「彩来ちゃん、そろそろイタリアね。私のお友達がイタリアに行くはずだったけど、何か〝アリタリアがキャンセルになって飛べない〟って言ってたよ。大丈夫？」

そのメールを見て心配になった私が「え、アリタリアがキャンセルで飛ばないってどういうこと⁉」と慌てたように言うと、それを聞いた娘がニコニコしながら言ったのがこの言葉。

「ラッキー！　じゃあ彩来はイタリア人だから飛行機乗れるんだね」

娘の中では「日本人は乗れないけど、イタリア人は乗れる」と勝手に勘違いしたようです。これも物事をいいように捉える娘によくあること。

「そんなわけないじゃん！　何言ってんの」

心配になった私が娘にメールを確認させると、ありました。もうかなり前にアリタリア航空から娘宛に「飛行機が飛びません」のメールが。ところが「飛行機のチケット取ったから大丈夫」とすっかり安心していた娘はそのメールを見ていなかったのです。

それが出発一週間前。

それからが大変です。イタリア行きの違うフライトを必死に探してアブダビ経由イタリア行きの飛行機を何とか確保したものの、アブダビに入るためにはＰＣＲ検査の陰性証明が必要とのこと。まだその頃はＰＣＲ検査自体が一般的ではなく、検査代がもの凄く高いうえに、なおかつ英語での証明書が必要。検査したとしても、その結果を示す証明書が来るまでに何日もかかります。すでにイタリアで予定を組んでいたので飛行機の日程は変更したくない。

「大丈夫！　その日に行く」

行くと決めたら行く。それで親の私が巻き込まれる形となります。

「絶対にどうにかなる！」

出発までにあと一週間しかないのです。本当に無茶なことを言います。娘の中では予定通りにイタリアに旅立つ自分の姿が描かれているのでしょう。結局、私もその「どうにかなる」通りに、どうにかなる方法を探します。

探しに探しまわってやっと見つけたのが、検査を受けた次の日に英語での証明書を発行してくれるクリニック。どうにかこうにか無事に間に合いました。

普通ならお盆の時期は乗客でごった返す成田空港はガラガラ。そんな中、娘はイタリアに旅立ちました。

★娘の強い意思が引き寄せた〝イタリア国立音楽院合格〟

音楽の世界の受験は通常の受験と少し事情が違って、行きたい学校で選ぶのではなく、教えてもらいたい〝つきたい先生〟がいる学校で選びます。ピアノだったらこの先生、ヴァイオリンだったらこの先生、歌だったらこの先生……というように、その先生に師事するために、その先生がいる学校に入ります。

娘が師事したい先生は、凄い人気の先生。先生が教えられる時間は限られているので取れる枠は決まっています。娘のときの枠は〝4人〟。たった4人の枠しか空いていませんでした。後から知ったのですが、それに対して受験生は50人。

倍率はなんと〝12倍〟！

12人に1人の狭き門を突破しないと合格できないのです。

「彩来、本当に大丈夫なの？」

私の心配をよそに、娘はいつも通り自信満々。

「大丈夫でしょ」

12倍だろうとまったく不安に思っていないようです。

そんな娘を見ていると、なぜか私まで「あ〜、きっと合格するんだろうな〜」と思ってしまうのが不思議です。

あれは娘がまだ高校2年生になる直前の夏休み、音楽の先生のアドバイスもあってオペラの道に進むと決めたけれど、まだ本格的にオペラを歌えないとき。

「一度本格的な先生について、彩来が歌うのを見てもらったほうがいいんじゃない？」

主人が見つけてきたカステルフランコにいるイタリア人の先生に、娘がイタリア歌曲を歌うのを聞いてもらったことがありました。その先生が偶然にも、今回の試験で受ける音楽院の先生のリナルド。

音楽の素人の主人ですから、見つけた先生がどんな先生かも知りません。たまたま偶然見つけたのが、その後に娘がつきたいと希望するようになったリナルド先生だったのです。

もっともそれだけで合格するほど、イタリアの音楽院は甘くありません。確かに人間関係の繋がりが有利に働くコネ社会のイタリアとはいえ、音楽院に合格するには合格するだけの実力がなければ合格できません。何しろ50人受けて、たったの4人しかリナルド先生の枠は空いていないのですから。

「ママ、絶対に大丈夫！　彩来、合格するから」

イタリアに渡って2ヵ月、やっと10月に試験が行われました。

結果は見事合格！

合格者はそれぞれ担当の先生に振り分けられるのですが、リナルド先生は娘の歌を聴いてこう言ってくれました。

「僕は彩来を教えたい」

娘の希望通り、願っていた先生のもとへ。

コロナ禍で飛行機が飛ばず、受験日程も延期となり、試験がいつ受けられるのかもわからない。そんな暗闇の中でも娘は希望を失わず、自分を信じて突き進み、ついに夢を実現しました。

いくつかの偶然も決して偶然ではなく、娘の頑固なまでの強い意思が引き寄せた〝必然〟だったのかもしれません。

「イタリアの音楽院なんて無理」

進路相談で言われても、決して諦めなかった娘の堅い決意。

「彩来は大丈夫」

周りからすれば根拠のない自信でも、娘の中では確固とした自信があったのでしょう。

いつ終わるかもしれない混沌としたコロナ禍の中、単身イタリアに渡った娘は自分の力で音楽院合格を勝ち取りました。

「ママ大丈夫！　だって彩来、ここに行くって決めたから」

リナルド先生に教えてもらいたいと思った娘は、私が他の音楽院にも願書を出すようにと勧めたのも無視。他の音楽院は受験せずにそこだけ受けて合格したのです。

これは、娘が自分の未来をありありと描きビジョン化していたからだと思っています。望む未来をリアルにイメージすること、そしてそこに体験したい感情を乗せ、感情と同時に未来をイメージする。

これが夢を引き寄せる最高の方法だと、娘を通して確信しました。イメージできないことは実現しないのです。

もちろん、ここ地球は3次元ですので、イメージしたことを実現するために行動に移さなければいけませんが、「こうなる」と決めると、不思議とそれを実現するために、周りも動き出すのです。私が、娘の飛行機やPCR検査ができる病院を探したように。

そして、偶然とは思えない出会いも向こうからやって来るのです。

★アバウトに始まりアバウトに終わるイタリアの大学

イタリアの音楽院では声楽、ピアノ、ヴァイオリン、作曲……と、いろいろな分野の学科があり、それぞれ専攻する学科によって勉強する内容が異なります。

娘の専攻は「オペラ」。

表現力を磨くために、いわゆる俳優がやるようにセリフの練習をしたり、オペラの舞台での見せ方や立ち位置などの表現方法を学んだり、それ以外にも歌はもちろん、作曲、音楽の歴史、衣装の歴史、シアターの経済学なども学びます。

娘のメインは「歌」ですが、セカンド専攻も一つ選びます。娘は「作曲」を選びました。クラシックの作曲を基礎から学びます。音楽に必要な基礎を叩きこまれるのです。

音楽院の大先輩のモリコーネさんも、クラシックの作曲の基礎があったうえでの映画音楽。有名な『荒野の用心棒』などのいわゆるマカロニウエスタンの曲も当初は「邪道だ」と批判する人もいましたが、実はベースにはしっかりとしたクラシックがあります。『海の上のピアニスト』にしろ『ニューシネマパラダイス』にしろ、モリコーネさんの映画音楽はクラシックをベースにしているから世界中で高い評価を受けているのです。

プロになるために高いレベルの音楽教育を受ける音楽院ですが、オーガナイゼーションはとんでもなく低いレベル。日本と比べてシステマチックではなく、かなりアバウト。アバウトに始まり、アバウトに終わるのがイタリア式。日本のように新入生が一斉に集まる入学式や卒業生が一同に会す卒業式もありません。しかも音楽院の試験に合格して娘が通い始めた頃は、ちょうどコロナ騒動が始まった当初で音楽院もゴタゴタに巻き込まれて何をどうしていいのかさっぱりわかりませんでした。

「いつから授業が始まるの？」

新入生なのにいつから学校に行っていいのかわからないし、学校に行くのかオンラインなのかもわからず、戸惑うばかり。

授業が始まったら始まったで、何時から授業が始まるか、開始時間もわかりません。音楽院のオフィスに電話してもわからない。オフィスのスタッフもわからないから返答が返ってこない。〝クエスチョン〟だらけのカオス状態。

そもそも日本のように普段からきっちりとスケジュールが決まっていないイタリアでは、授業日程も緩く決まります。

「月曜日の×時～×時は▲▲の授業」と決まっている日本に対して、イタリアの大学は「××日～××日までの期間で講座を開くので受けたい人は来て」と先生の都合でいつ授業があるのか決まります。

しかも突然「今日は都合が悪いので休み」と当日音楽院に行ってから先生からメールが来て授業が中止になったりすることも日常。日本では考えられないほどスケジュール管理が杜撰で徹底されていません。

大学側のガイダンスがしっかりしている日本と比べるとイタリアのガイダンスは適当というか、日本人にしてみると〝ない〟も同然なのです。

しかも娘が留学した当時は、コロナ騒動の混乱の中でどの先生がどこでいつ授業をするのかもわからない状態。「本当に大丈夫なの？」と留学した当初の娘は不安でいっぱいでした。

それでも何とかなるのがイタリアです。カオス状態の中でも何となく進んでいく。イタリア人はそんなイタリア式のアバウトさに慣れっこ。臨機応変な対応というか、いい加減でもいい感じに着地するのがイタリア。それでも上手く回ってしまうのがイタリアという国の不思議なところです。

★ヴェネチアのカフェでカモメアタック！

これは娘が学校帰りによく行くヴェネチアのカフェでの話です。

その日テストが終わった娘は、やっと終わった解放感からのんびりカフェで過ごそうとしていました。テストが終わったご褒美にカプチーノとケーキを注文。大好きなケーキがカプチーノとともにテーブルに運ばれてきました。娘のお気に入りは屋外のテラス席です。ちょうどそのときです。狙っていたかのようにカモメが娘めがけて飛んできました。海辺の街ヴェネチアのカモメはどれもアグレッシブ（攻撃的）。いろんなところから人めがけて飛んできては突っついたり、サンドイッチを獲ったり、首や腕を突っつかれてアザができる人もいるほど。

カモメの攻撃をかわそうとした娘の頭にアタック！　さらにケーキを取って、カプチーノのカップまで倒していきました。

「最悪！　ねぇ、マジ無理……」

テストが終わった自分へのご褒美のつもりがカモメのご褒美に。

「ちょ〜ショック!!」

突然襲った悲劇。あまりのショックに泣きそう。

「ああ……ケーキが戻ってきてくれないかなぁ……」

そう願ってもカモメが戻ってきてくれるはずがありません。

「ん？」

するとなぜかテーブルにカプチーノとケーキが。しかもケーキが2個になって増えてる。

まさかカモメが返してくれた……ワケありません。見ると店員さんがにっこり微笑みかけてくれました。

「いいよ、お金は。食べてね」

カモメアタックの悲劇を見ていた店員さんがサービスでカプチーノとケーキを出してくれたのです。カモメではなくカフェの店員さんに娘の願いが通じました。

不思議ですが娘にはこうしたことがよく起こります。

音楽院でもありました。学生たちが演じるオペラで娘が与えられた役は、娘が望んだ役ではありませんでした。娘は別の役をやりたかったのです。与えられた役の歌は娘としてはあまり気乗りしなかったようです。でも振り分けられた以上仕方がない。それでも娘は頭の中で強く願ってみました。

「役を変えて欲しい。変えて欲しい」「変わる変わる変わる」「大丈夫！　絶対に彩来はこっちの役になる」

もちろん声に出して言うわけではありませんが、頭の中でずっとイメージしていました。

すると娘の顔を見た先生のほうから、

「彩来はこっちの役にしようか。もしかしたら役を変えたほうがいいかもね」

娘の願いは通じました。きっと先生は、娘の意識のエネルギーをキャッチしたのでしょう。「こっちの役のほうがいいかも」と気づいてくれたのです。

「イタリアだといろんなことが起きる」

このときはさすがに娘もビックリしたようです。

「凄！　なんか彩来、凄いんだけど」

強くイメージする。意識を強く持って思い描くと思考は現実化する。意識のエネルギーは頭の中で描いたイメージを現実化できるほどのパワーを秘めているといいます。

娘の話を聞いて不思議に思うかもしれませんが、本来は誰もが持っている力、エネルギーなのだと思います。娘の場合は、その思考力が強いのでしょう。そしてその思考を信じて疑わない。だから人より現実化することが多いのだと思います。

望む未来をイメージし、そのイメージを疑いなく純粋に信じさえすれば願いは叶う。思考は現実化する。娘がそれを教えてくれました。

★「Questa Cinese !」イタリアにある〝アジア人への偏見〟

音楽院の科目には「ソルフェージュ」があります。「ソルフェージュ」というのは、音符を見ながらピアノなしで歌ったり、音を聴いて五線紙に書いたり、楽譜を理解して読む力を身につける、音楽の基礎となる練習です。

娘はソルフェージュの先生に差別を受けたことがあります。オンラインでテストの最中、娘が真剣に歌い上げているにもかかわらず、先生は真面目に聴こうともしないのです。それどころかオンラインの画面から消えていなくなったり……。

そしてしまいには、「Questa Cinese！」（クエスタ・チネーゼ！）と一言。

「Cinese」は〝中国人〟という意味。「Questa Cinese！」で「この中国人が！」と、中国人をバカにした言葉です。

イタリア人はアジア人のことを見た目で区別できません。この先生は娘を〝中国人〟だと思ったのです。実はイタリアでは中国人はネガティブなイメージ。「勉強しない」「言ってることがわからない」と先生たちの評判が良くないのです。

「〝どうせこの子は中国人だから何言ってもわからないから〟みたいなマインドセット。

それで彩来も試験に落とされた」

娘はそう言います。ネガティブイメージの中国人だと思われて差別を受けたのです。

結局、娘は適当に扱われ、試験に落とされました。これが今もトラウマとして彼女に残っています。

ソルフェージュの先生と同じように、Armonia（和声法）の先生にも疑いの目をかけられました。

「Armonia（アルモニア）」というのは、〝ハーモニーの理論〟を学ぶ凄く難しい科目です。和声法の授業で出された課題も完璧にこなした娘に先生は馬鹿にしたように言いました。

「本当に自分でやったの？」

またもアジア人に対する偏見。

「中国人にこんな難しい課題ができるはずがない」

娘には先生がそう言っているように思えました。

「悔しい！　クラスで1番になって見返してやる」

その悔しさを胸に娘は必死に勉強しました。そして和声法のテストでトップ。先生も娘の実力を知って認めてくれました。馬鹿にされた悔しさをエネルギーに変えて、人種差別を乗り越えたのです。

★クリスマスコンサートで受けた人種差別を乗り越えて

日本人とイタリア人のハーフの娘ですが、人種差別はある意味洗礼なのかもしれません。イタリア人の血が半分入っていても、見た目は〝アジア人の顔〟をしている娘は、偏見を持っている人からはどうしても差別を受けやすいのです。音楽院の先生の中には、娘がイタリア人のハーフだということを知らない先生もいて、そうした先生から差別的な扱いを受けたこともあります。さすがに面と向かって「キミはアジア人だから」なんて差別的な発言をする先生はいませんが、無視されたり差別的な扱いを受けたり。

「絶対そうだよ、ママ。彩来がアジア人だから無視されるんだよ」

音楽院に入って2年目のクリスマスコンサートでも差別を受けました。選ばれた人がオーケストラとともに教会で歌を歌うのですが、娘もその中の一人に選ばれました。

クリスマスコンサートリハーサル――。

「この子が今日歌を歌う××さんです」

オーケストラとの顔合わせ。オーケストラ担当の先生が選ばれた子たちをオーケストラの前で紹介していきます。でも娘だけは紹介されませんでした。他の子は名前を呼ばれて紹介されたのに、娘だけ無視されて〝いない存在〟扱い。そのうえもらえた歌はたった1曲だけ。別の子は6曲も歌ったのに明らかな差別。

「ママ聞いて！」

リハーサルが終わった後、娘が泣きながら日本の私に電話をかけてきました。

「オーケストラの人にも紹介してもらえないし、1曲しか歌わせてくれなかったんだよ！彩来が歌うはずのクリスマスソングを別の子に歌われた。もう無理！」

電話の向こうで娘は大泣きしていました。差別的な扱いを受けたことで傷つき、もの凄く悲しい思いをしたのです。

「私がアジア人だからだよ」

このときも娘は人種による偏見、差別を改めて感じていました。それが音楽院2年目のクリスマスの出来事。

そんな出来事があっても、真摯に音楽院の勉強に取り組んだ結果、歌のテストで満点。30点中30点の評価でトップになりました。

娘の歌の実力を知ってオーケストラの先生は、次の年には先生のほうから娘に「コンサートで歌って欲しい」と頼んできました。娘は努力と実力で人種差別の偏見を乗り越えたのです。

娘は今21歳、日本でいう大学3年生を終えたところです。

イタリアでプロになるつもりの娘は、卒業コンサートを来年の夏の7月に予定しています。卒業コンサートが終わると晴れて卒業。

卒業コンサートは卒業生全員が一人一人別々の日に行います。2月にする人もいれば7月や10月の人もいる。イタリアの大学は音楽院もそうですが、卒業に必要な単位さえ取れれば、好きなときに卒業できます。早ければ3年。働きながら通っている人もいるので、5年いたり6年いたり。それは個人の自由。だからみんなバラバラに卒業していきます。日本のように一斉に行う卒業式はありません。何となく始まって何となく終わるのがイタリア式。

日本でいう大学がイタリアでは3年間の「トリエンニョ」。プラス2年間の「ビエンニョ」。それが日本でいう大学院。

娘はトリエンニョを卒業した後、ビエンニョに進む予定です。

そこでしっかりと歌を学んだ後にプロとして羽ばたく——それが娘の描いている未来なのです。

コラム

パパはイタリア人

★ルール無用のカオスでも上手くいくのがイタリア

私は今50才。日本に来てもう24年になります。24才からロンドンに行って4年間暮らし、その後日本へ。だから私がイタリアで暮らしたのは24年間。来年で日本での生活のほうが長くなります。もうすっかり日本人ですね（笑）。

6才から父親の影響で柔道を習っていた私は日本の武道の精神に触れたこともあって、日本の文化をリスペクトし、日本に興味を持ちました。しかも当時のイタリアでは〝メイド・イン・ジャパン〟全盛期で、日本のテクノロジーを使った日本製品がパワーに溢れていた時代。私も誕生日プレゼントでお母さんの友達から日本製のカセットレコーダを買ってもらったのをはじめに、その後ウォークマンも使っていました。

日本に来る前の日本のイメージは〝ちょっとエキゾティック〟な感じで〝ハイテク〟の国。私の地元はイタリアでも田舎でハイテクなものは何もないですから、「日本はレベルが高い」とずっと思っていました。

初めて日本に来たときに印象に残っているのが〝空港が静か〟ということ。イタリアの空港はうるさい。日本の空港は床に緑の線とか青の線とかで乗客案内用のラインが引いてあってみんな整然と列に並んでいるけど、イタリアは並ぶ線がない。列に並ぶ習慣もないし、見ず知らずの乗客同士でペチャクチャしゃべってるから賑やか。みんな静かに並んでいるのを見たときに「日本ってすげーな！」と思いました。

逆に困るのは、道がわかりにくいこと。イタリアの道はわかりやすい。大きい道も小さい道もほんの小っちゃな路地まで全部の道に名前がついてるから。日本は名前がついているのは大きい道だけ。イタリア人にはそれがわかりにくい。だから日本で道に迷わないやり方は、駅を出たらすぐ交番。交番で聞いたほうが早い。イタリアには交番がありません。

実際に日本に来て感じたのは「オーガナイゼーション（組織、システム）」が凄い！日本は公的機関などのシステムがしっかりしていて利用しやすい。イタリアはぐちゃぐちゃです。イタリアは臨機応変というか、そのときそのときで対応する。日本は整然として対応する。

イタリアで何か書類が必要だったら時間が凄くかかります。たとえば免許証更新するのに1ヵ月かかる。更新した免許証が来るまでは紙の証明書をもらってそれが免許証の代わり。でも日本だと当日。

イタリアは国の仕事はみんな遅い。日本では何かの書類が欲しかったら公的機関の事務所に行って申請して発行してもらって、ちゃんちゃんで終わり。イタリアは絶対無理。イタリアに留学してる娘のパスポートの更新に半年かかりました。

「どうやったら半年かかるの？」

その理由が「混んでるから」。

「6ヵ月ってどれだけ混んでるの!?」

彼女（奥さん）のグリーンカード（6ヵ月ビザ）を取るときも大変でした。イタリアでは1日に決まった人数しか取れません。そのための番号（順番）を取るのが戦争。朝の6時に事務所に行って待って（もちろん列に並んでるわけない）、窓口で「はい、番号です」と言われた途端にみんなバーッと押し寄せる。

イタリアでは〝一番最初に行く人が一番最初〟それで文句が出ません。みんな窓口にワーッと押し寄せて、まるで鳥に餌あげてるみたい。受付が始まった途端に大混乱。ワーッと押し寄せている人の上をジャンプして取りました。もっともビザ取得ですからイタリア人はいません。アフリカからの移民とかそういう人たち。ルール無用のカオスでした。

イタリア人は電車に乗るときも適当。もちろん並ばない。でも降りる人優先で失礼ではない。グジャグジャだけど、それで何とか上手くいっちゃう。それがイタリアです。

★注文は早いけどリアクションが遅い日本人、注文は遅いけどリアクションが早いイタリア人

日本とイタリアではお店の対応も違います。日本だとレストランなどに行くと、すぐに注文して早く食事を食べようとするけど、イタリアのお店では待つのが当たり前。30分待ってても誰も注文を取りこないこともあります。ピッツェリアに行っても忙しいときだと注文してから40分ぐらい待つのは普通。でもイタリア人は日本人みたいに「遅い！ 何で出てこないの？」なんてイライラしません。待ってる間にみんなでおしゃべりしてるから。

日本は何でもすぐ欲しい。レストランに入ってきたお客さん、たまに座った瞬間に手が上がる。「すいません、注文お願いします！」って、今座ったばっかりでしょ。ちょっと待ってよ。メニュー見て注文するまでの時間がもっとあっていい。

イタリアだと注文取りに行っても、「ちょっと待ってまだ見てないから」って言われてずっとしゃべってる。それがイタリア流。日本人は食べるだけ。イタリア人はテーブルでコミュニケーション。テーブルにいるときはコミュニケーションの時間。イタリア人はその時間を大事にしています。

レストランでの注文は早いのに、普段は考えすぎるのが日本人のちょっと悪いところ。

日本に来て思うのは「日本人はちょっと考えすぎかな」ということ。もうちょっと緩くしてもいいかな。そのほうが楽に生きられる。

結婚当時、彼女が歯医者の仕事をしていたとき、ある患者さんを治療して家に帰ってきてからもずっと「大丈夫だったかな?」と考えてる。「あの治療で本当に良かったんだろうか?」って。

「でも終わったんでしょ。今それを考えてもしょうがないじゃん」

私もたまに考えるけど、考えても仕方ないことは考えない。

「考えて何かが解決するの?」

考えてもしょうがないものを考えても仕方がないでしょ。

考えすぎて固まるのも日本人の良くないところ。仕事でもお客様に何かトラブルがあったときに、みんな固まっちゃう。ダメでしょ、固まるのは。考えてないですぐ何かして。

日本人はそういうリアクションが遅いかも。

たぶん日本人は個人的に責任取りたくないから動かないのもあると思う。イタリア人は「とりあえずこうやろう」と動いてみる。日本人はそれが弱い。誰も責任取りたくないから。

私は間違えたら間違えたでいいからとりあえずやる。イタリア人のほうがそういうところはフレキシブルで対応が早い。

「上の者に相談します」

そう言ってなかなか動かないのが日本式。すぐリアクションするのがイタリア式。それでもし間違えたら別のことをやればいい。

たとえば洋服屋さん。日本はお客さんが来てもスタッフみんなが待ってる感じ。お客さんが来てもすぐに寄っていかないで少し様子見てる。イタリア人はすぐ来る。「これあなたに似合いますよね」「これにしたら?」「いやこれは違うでしょ。このズボンにしたら」とか、うるさいぐらいにすぐ近寄って来る。イタリアと比べると日本人は待ってる。

何で待ってるの? お客さんのところに行ってお勧めしたら、1つじゃなくてもしかしたら2つか3つ売れるかもしれない。でも日本人は待ってるから「行け、行け」と思う。

イタリア人はアルバイトでも自主的に頑張ります。「仕事だからちゃんとやらなくちゃいけない」とイタリア人は一般的に考えてます。それはイタリアは日本に比べると仕事がめっちゃ少ないから。日本は仕事がいっぱいあるから「ここをやめても別のところですぐに働ける」と思ってる。

でもイタリアは仕事がない。今イタリア人の大学生は仕事がないから卒業したくてもできない厳しい状況。だからイタリア人は仕事に対して厳しいです。仕事ある人はいっぱい頑張らないと仕事なくなるから。

★日本人には当たり前でもイタリア人が〝凄く嫌〟なこと

日本に来て感じた〝凄く嫌なこと〟。それは彼女がみんないるときに私のことを「パパ」って呼ぶこと。

ちょ～嫌だ！　私の名前は「ステファノ」です。「パパ」じゃないよ。

日本だと普通だけどイタリアではあり得ない。奥さんが旦那さんに「パパ」とは言わない。「パパ」と呼ぶのは子供だけ。

「私あなたのパパじゃないよ」

最初「パパ」と呼ばれたときにビックリしました。超嫌いですよ。

遊園地に行くと、遠くから「パパ～！」。もの凄く恥ずかしい。おかあさんたちがみんな「パパ」って呼ぶから、その辺にいる男たちみんな、「どこのパパだ？」って振り向いてる。

嫌だ。でももう慣れたけどね。

イタリアのことわざにこういう言葉があります。

『ローマ行くときはローマ人の心を持ってください』

～Quando vai a Roma, porta con te i Romani～

ローマに行ったらローマ人に合わせる。日本のことわざでいう『郷に入れば郷に従え』。その土地に行ったらその土地の人に合わせれば上手くいく。

『日本に行くときは日本人の心を持ってください』

日本に行くなら日本人と同じようにすれば問題ない。それがイタリアの教え。

こんなに長く日本にいると、私もだんだん日本人の感覚になってきました。

日本に来た当初は仕事中に日本人スタッフが「できないからしょうがない」なんて言うと、「何で〝しょうがない〟？　仕事でしょ？　しょうがないじゃないよ」

そう言っていた私も最近では「しょうがないよね、それは」なんて自分で言うようになってきました。

『日本に行くときは日本人の心を持ってください』

私も日本人になってきたのかも。

私にとって日本は家族もいるし、生活もある、自分にとっての〝家〟。

でも私はイタリア人。アイデンティティはイタリア人。

それはずっと変わらないと思います。

エピローグ
きっとすべては上手くいく

２０２０年春、コロナ禍が世界的に猛威を振るう中、イタリアでは毎日１００人を超える死者が出ているというニュースが飛び込んできました。イタリアでは外出が制限され、人々は不安と悲しみの中で過ごしていました。

それでもイタリアの人々は希望を捨てることはありませんでした。

「Andrà tutto bene」というスローガンを掲げ、国民は団結しました。

外出ができない中、誰かがベランダに出て歌を歌いだすのです。そうするとその歌を聞いた人々が次々と同じようにベランダに出て、一緒に歌い出す。

死者への哀悼と医療従事者への感謝とそして自分たち一人一人の希望のために歌いました。

「Andrà tutto bene!」こう書かれた横断幕を軒先に吊るし、心を一つにして歌いました。

「きっとすべては上手くいく！」「頑張れ、イタリア！」と。

どんなにひどい状況でも決して希望を捨てることはありませんでした。

その歌声に遠くに住む日本の私も心打たれたように、世界中が感動したのではないかと思います。

そうした困難を乗り越え、今のイタリアがあります。コロナ禍の前と後のイタリアを見ている私は、彼らの豊かな心に触れるおり、私もその世界観へ溶け込んでいきます。

今イタリアは、不自由だったコロナ禍の3年間が嘘だったかのように、観光客で溢れています。この国に行くと元気をもらうのです。心が大きく、自由になるのです。

そして大地と人々から愛を受け取り、明日から希望を持って生きていこうと思えるからこそ、世界中の人々がこぞってイタリアを旅行先に選ぶのではないでしょうか。

この国にはそういう空気がいつも変わらず流れています。

イタリアはもう何十年も前から国は経済的に破綻すると言われ続けてきました。しかし、いまだかつて破綻してはいません。

それは、本書でご紹介したような思考を持つイタリア人がいるからです。

決して国が国民を支えているわけではなく、国こそが、そんなイタリアの国民に支えられているからです。

イタリアの、そしてイタリア人の底力というものを本書で感じていただけたのではないかと思います。

その底力は真面目だからというよりは、おおらかだからこその底力です。対照的に真面目な日本人はまだコロナ禍のショックから立ち直れずにいるように感じるのは私だけではないでしょう。

コロナの規制解除とともに一斉にマスクを外したイタリア人、一方日本人はといえば規制されていないにも関わらず自らマスクを外せない人がいます。まだコロナの影を引きずっているかのように。

マスクの弊害はいろいろ言われていますが、私が感じている一番の弊害は〝感情が動かなくなる〟こと。マスクをしていると顔が半分隠れている分どうしても無表情になってしまいます。表情がなくなると感情が動かなくなります。感情が動かなくなると人は体も弱くなります。人の体を動かすのは細胞内のミドコンドリアが作り出す〝ATP（アデノシン三リン酸）〟だということは知られていますが、身体は感情に大きく影響されるということはあまり知られていません。

感情は2つに大別できます。一つは信頼と受容が基盤にあるもの。もう一つは恐怖が基盤にあるもの。

前者の調和の取れた感情は「今」に在る部分から生じます。身体のすべての細胞の喜びと愛の表現です。

一方、後者は「今」ではなく「過去や未来」にフォーカスしています。残念ながらマスクをいつまでも外せないのは、恐れによるもの。病気になったら怖いから。人に何か言われたら怖いから。未来を恐れて「今」にフォーカスしていない。

恐れの対極にあるのは、信頼と愛です。だから、自分を信頼し自分を好きになることは本当に大切なのです。さらにマスクは感情を抑圧してしまう。感情を抑圧すると健康面に悪影響が出てきます。これでは、身体も心も弱くなっていく一方です。ここ数年、自殺者が増えているのも無関係ではありません。

感情が動かないというのは〝心が死んでしまう〟のと同じ。自ら自分自身に足枷をしているようなもの。自分で自分の心を縛っていては、今を楽しむ、人生を楽しく生きることなどできません。

もっと自由でいいと思います。

もっと砕けていいというか、守らなくていいことまで守る必要はありません。世の中的なルールや縛りはあるかもしれないけれど、自分次第で心は自由になれるのです。

コロナ規制の真っただ中、日本でデパートに行ったことがあります。もちろん私も娘もマスクはしていません。当時はデパートの入店規制は厳しく、マスクをしていないと入口で入店を拒否されることもありました。それでもマスクなしで笑顔でデパートに入ると、私を見た店員さんに言われました。

「素敵な笑顔ですね～」

笑顔は人を幸せにします。せっかくの笑顔もマスクをしていてはわかりません。

不機嫌な人のそばにいるとこっちまで不機嫌になるように、笑顔の人のそばにいると知らないうちにこっちまで笑顔になります。不機嫌は不機嫌を生み、笑顔は笑顔を生む。同じエネルギーフィールドにいる人同士は引き寄せ合い、影響し合うからです。

笑顔のフィールドにいる人は笑顔になる。それは笑顔という感情の動きで生まれたエネルギーが周りにも伝わっている証拠。

笑顔の伝染。エネルギーの交換です。マスクはハートのフィールドを閉ざしてしまうことになるのです。

エネルギーフィールドとはつまり〝周波数〟ということ。自分がどんなエネルギーを発信しているのか。その発信するエネルギーと同じ周波数を持っている人に共振共鳴し合います。周波数が共鳴する人同士は繋がり合い、共鳴しない人とは繋がらない。「類は友を呼ぶ」ということわざがありますが、確かにその言葉通り、同じような人たちは引き合うものです。

すべては自分の意識。どこに意識を置くか。

嫌なものに焦点を当てなければ、嫌なもの、嫌なことは自分のフィールドに入ってきません。マスクのこともそうですが、「コロナが怖い」と意識する人は、コロナが怖い現実が現れます。でも「コロナ」など意識せずにマスクも外して普通に生活している人は、コロナはあたかもなかったことのように楽しく毎日を過ごせるのです。

私たちは自分の望んだ通りの現実を創り出しています。だからこそ、大切なことは、どういう世界に住みたいのかということに意識を向けることです。

ここ数年、社会全体が閉塞感に満ち溢れています。今の日本はコロナ禍でますます閉塞感が増し、大人も子供も希望を失い、若者の自殺数は過去最多。

そんな苦しい状況の中、どんなに世の中が閉塞していても、自分次第で現実は変えられます。人生は思考次第で変えられるのです。

「どっちにしようかな?」と選択肢があるとき、娘が必ず選ぶのは「こっちが楽しいな」と思うほう。私もそうですが選択基準は「どちらが楽しいか」「どちらが面白そうか」「どちらのほうが興味をそそられるか」です。「せっかく今まで頑張ってきたんだから辛くても続けよう」という発想はありません。

私が歯医者を辞めたのもそう。「この先まだ何十年か仕事をするとして、ずっと歯医者をしていて楽しいかな?」と考えたときに、当時から携わっている〝分子栄養療法〟が興味深く楽しくて仕方なかった私は迷わずに「じゃあ、こっちに行こう」と歯医者を辞めて分子栄養療法の道を選びました。「迷わずにSAY YES」です。

娘は興味がないことは一切耳も貸しません。聞いていたとしても右から左に素通り。その代わり興味があることは一点集中。頭の中は完全にそのことだけ。自分が楽しいと思ってワクワクすることがあると自分の世界に入って集中する。まるで妄想好きな〝赤毛のアン〟のように。

「どっちにしようか？」と迷ったり、悩んだりしたら、〝ワクワクする〟ほうを選ぶ。

そして、今この一瞬を楽しむ。

人生は一瞬の連続です。私たちは過去も未来も生きることはできません。「現在」「今」しか生きることはできないのです。

だとしたら、今、この一瞬が楽しいものであるなら、1秒先も、1時間先も、1日先も1ヵ月先も、楽しいの連続なのです。〝人生を楽しむ〟ことに長けているイタリア人的な生き方。日本人はどうしても難しく考えてしまいがちです。

「そうだ　京都、行こう」

そういうCMがありますが、「そうだ」と思ったら「京都に行く」ことは実はとても大切なことです。

どうしても私たちは頭で考えるクセがついています。たとえば「海に行きたい」と思っても、「いや、今は波が高いし、クラゲがいるからやめておこう」と思って海に行くのをやめてしまう。心の声は「今海に行きたい」と言っているのに、左脳が発したうるさい声が「やめておこう」と言う。頭の中の声はほっといて、心の声に従えばいいのに。

「海に行きたい」と思ったら行ってみれば、きっと何かそこにあります。自分にとって必要なものが。だから心の声が教えてくれているのです。

「あ！」と思いついたものは直感。その直感に従えば、魂が本当に望んでいる道に進むことができます。だけどそこで左脳で考えてしまうから、魂の方向とどんどんずれていって、幸せからも遠ざかっていく。すると「本当にこれでいいんだろうか」と悩んでしまう。

仕事もそう。「これは違う。この仕事は自分が本当にやりたい仕事じゃない」そう思ったらやり直せばいい。そして、もし違うなと感じたら、軌道修正すればいいということ。やり直せばいいだけ。人は絶えず移り変わるもの。流れる水のように刻々と変化する。変化しない人間などいないのです。

自分が好きなこと、やりたいことが仕事ならば、どんなに大変でも仕事にのめり込めます。仕事とプライベートの境目がなくなっていく。だって自分が好きなことだから。仕事も自分の一部だから。仕事も含めてすべてが〝自分〟。それが人生を楽しむということに繋がります。

イタリア人の基本は〝人生を楽しむ〟こと。「人生楽しまなきゃ損」だと思っています。そこにあるのは〝自分は自分〟という考え方。だから自分を主張する。ストレスを溜めない。それがイタリア流の生き方。

元来、日本人にもイタリア人のように〝おおらかに人生を楽しく生きる〟気質があったはずです。もっと人情味があった時代があったはず。昭和の「ALWAYS三丁目の夕日」のように。

あの頃のおおらかさや人情味が今の日本人は失われつつあるように思います。何かあるとすぐ怒る、融通が利かない、自分で考えない。楽しく生きていない。

人は今しか生きられません。未来に深刻になってもしょうがない。過去を引きずっても仕方ない。目の前のことを楽しむこと。今幸せだったらこの先も幸せ。だって今が積み重なって未来ができるのだから。

私たちは未来のために今を我慢するクセがついています。今を我慢していると我慢の回路が動き出します。すると我慢が積み重なり、我慢している状態が現実となってしまう。

私たちもちょっとだけマインドを変えてみたらいい。イタリア人のエッセンスを少しだけもらって生きてみれば、もっと自由に楽に生きられると思います。

もっと自分を大切に。もっと自分を信頼して。

まずは自分が楽しく、自分が幸せに。

ある意味〝究極のエゴイスト〟。

自分を自由じゃなくしているのは自分自身。自分次第で自由になれる。心の声に従って生きる。魂が望んでいる道を進む。

「あ!」に従えば人生は幸せ。人生は思考次第で変えられるのです。

私の目を通して感じたイタリア人的思考、生き方についてご紹介してきました。

混沌とした世界情勢の今、どんなことが起きても、私たちは前を向いて進んで行かなければなりません。

その前に進むエネルギーを受け取ってもらえたなら、笑顔になってもらえたなら、これほど嬉しいことはありません。

「Andrà tutto bene!!」きっとすべては上手くいく……と信じて。

そして、本書が皆様の〝希望〟となっていただければ幸いです。

令和5年9月吉日

ファストロ滋子

娘と私

ファストロ滋子

秋田県生まれ、岩手県育ち。
夫はイタリア人オーナーシェフ、2人の子供の母。日本にいながら、娘をトリリンガル、息子をバイリンガルに育て上げる。娘は現在、イタリアの国立音楽院に留学中。自らも、イギリス留学の経験や、母子でのイタリア移住経験を通し、異文化と日本文化の素晴らしさを取り入れた、独自の世界観を発信している。歯科医師でもあり、現在は分子栄養療法医として、不調の根本原因にアプローチした分子栄養療法を行っている。また、「意識」や「身体の量子情報」を扱うエネルギー情報医学にも携わり、クライアントが望む未来の実現や健康のサポートを行っている。

イタリアの子供《こども》は「宝物《たからもの》」と呼《よ》ばれて育《そだ》つ
― 日伊《にちい》ハーフの娘《むすめ》が教《おし》えてくれた人生《じんせい》を変《か》える思考《しこう》 ―
ファストロ滋子《しげこ》 著

2023年9月23日 初版発行

発行者 磐﨑文彰
発行所 株式会社 かざひの文庫
〒110-0002
東京都台東区上野桜木2-16-21
電話／FAX 03 (6322) 3231
www.fusosha.co.jp/
e-mail company@kazahinobunko.com
http://www.kazahinobunko.com

発売元 太陽出版
〒113-0033
東京都文京区本郷3-43-8-101
電話 03 (3814) 0471
FAX 03 (3814) 2366
e-mail info@taiyoshuppan.net
http://www.taiyoshuppan.net

印刷・製本 モリモト印刷

出版プロデュース 谷口 令
編集 鈴木実(21世紀BOX)
装丁 濱中幸子(濱中プロダクション)
DTP 宮島和幸(KM-Factory)

ISBN978-4-86723-144-9